Libertad, Libertad, Libertad

Juan Goytisolo

Libertad, Libertad, Libertad

EDITORIAL ANAGRAMA
BARCELONA

Portada:
Julio Vivas

© EDITORIAL ANAGRAMA, 1978
Calle de la Cruz, 44
Barcelona-34

ISBN 84-339-1108-2
Depósito legal: B 12458-1978

Printed in Spain

Gráficas Diamante, Zamora, 83, Barcelona-18

...Subirían al coro gritando

libertad
libertad
libertad

(versión popular del himno de Riego)

INTRODUCCION

Los ensayos y artículos recogidos en *Libertad, Libertad, Libertad* fueron escritos entre el 20 de noviembre de 1975 y el 30 de julio de 1977. Estas dos fechas —muerte de Franco e inauguración del parlamento salido de las primeras elecciones democráticas celebradas en el país desde 1936— tienen algo o mucho que ver con las razones que me indujeron a reanudar mis actividades periodísticas tras una interrupción de más de diez años: exactamente desde abril de 1964, cuando las reacciones adversas que suscitó entre un vasto sector de mis compatriotas mi última colaboración de tema político en la prensa francesa, me indujeron a poner término a mi labor y evitar así a la izquierda una polémica que, en aquellas circunstancias, sólo podía redundar en beneficio de quienes, dentro del país, estaban interesados en mantener a toda costa el *statu quo*.

Los acontecimientos del otoño del 75 sometieron, como es lógico, esta decisión mía de no escribir una línea más sobre la situación política española a una rudísima prueba. El fusilamiento inicuo de los militantes de ETA y el FRAP, la manifestación fascista de la plaza de Oriente, la crisis del Sáhara, la enfermedad de Franco, me hicieron comprender que, pese a todos mis esfuerzos por mantenerme al margen de la problemática hispana, ésta seguía ejerciendo sobre mí, en los momentos graves, su influjo destructor de siempre: me refiero a la capacidad de suscitar, intacta, mi indignación hacia todo lo que la España oficial significaba, como si el único vínculo posible entre mi país y yo fuera, al correr de los años, aquel opresivo sentimiento de frustración, impotencia y rabia del que me creía ingenuamente curado y que, después de haberme atosigado desde la adolescencia, amenazaba escoltarme aún, me temía, hasta el mismísimo sepulcro. El hecho de ser español ha sido para mí —y probablemente para muchos— una fuente continua de sentimientos de humillación y vergüenza: un destino a la vez triste y grotesco, una enfermedad endémica que, tras largos paréntesis de engañosa calma, resurgía de pronto, a merced de las circunstancias, con incontenible violencia.

Me hallaba en Pittsburgh, viviendo una agonía paralela a la del dictador, y sin ninguna posibilidad de exteriorizarla, a la espera diaria —como robotizado— de las informaciones de la prensa y televisión. De ahí la irresistible necesidad de tomar la pluma al anuncio de su muerte y escribir de un tirón, para curarme, el «In Memoriam F.F.B.» que leí unos días más tarde, ante una reunión de hispanistas, en la Biblioteca del Congreso de Washington: minúscula, pero sedativa venganza contra ese Congreso que tanto contribuyó con su apoyo a mantenerlo en un poder establecido sobre la sangre, el dolor y las lágrimas de millones y millones de españoles. Mi «homenaje» fue publicado posteriormente en *Cuadernos de Ruedo Ibérico* (París), *Plural* (México), *La Opinión* (Argentina), *Le Nouvel Observateur* (Francia), *Il Mondo* (Italia), *Dissent* (USA), *El Correo* (Perú) y *Hollands Maandblat* (Holanda).

Aprovechando las posibilidades de expresión que se abrían para mí conforme se operaba el desmantelamiento paulatino de la dictadura, resolví escribir una serie de artículos y ensayos sobre temas de actualidad político-social española directamente relacionados con mis preocupaciones personales más inmediatas (racismo, tercermundismo, marginación, monolitismo ideológico, invención de nuevos espacios informativos, defensa de los presos, reivindicación de las realidades corporales, etc.). «Hemos vivido una ocupación», «Tercermundismo hoy», «El Lute a la calle», «Los refranes de la tribu», «Demos la vuelta de una vez...» y «Modesta proposición...» han sido publicados en la revista *Triunfo*. «Marginalidad y disidencia» y «Proceso a la izquierda» aparecieron en *El País*. «Judíos, moros, negros...» salió en el semanario barcelonés *Destino*. «Remedios de la concupiscencia» en la revista *El viejo topo*.

Existe, creo yo, un vínculo común a todos ellos: la vieja e indomable aspiración libertaria que hoy vibra de nuevo a lo largo y ancho de la Península —aspiración que puede cifrarse en la estrofa de la canción popular que les sirve de título.

IN MEMORIAM F.F.B. 1892-1975

Hay hechos que a fuerza de ser esperados, cuando ocurren al fin, pierden toda impresión de realidad. Durante años y años —desde la época de mi ingreso en la universidad— he aguardado como millones de mis compatriotas este día, el Día por antonomasia que debería partir —algo así como el nacimiento de Jesús en la perspectiva egocéntrica del cristianismo— mi vida, nuestra vida en dos: Antes y Después, Limbo y Cielo, Caída y Regeneración.

No soy hombre particularmente rencoroso. Creo con sinceridad que en la lista de mis defectos o rasgos negativos de carácter no figura el odio. A lo largo de mi existencia he procurado siempre que los conflictos morales o ideológicos inherentes a mi intervención en la vida cultural española no degeneraran en pugnas personales y, cuando así ha ocurrido —en los raros casos de enemistad que cuento en mi cargo—, el olvido ha sido siempre más fuerte que mi saña.

¿Cómo explicar entonces, tratándose de él, la tenacidad de mi aborrecimiento? En la larga, irreal agonía de

11

estas últimas semanas —mientras era torturado cruelmente por una especie de justicia médica compensatoria de la injusticia histórico-moral que le permitía morir de vejez, en la cama— dicho sentimiento no me ha abandonado nunca: ningún afecto de piedad ha acompañado la lectura —objetivamente monstruosa— de las nuevas y más rigurosas dolencias que día tras día divulgaba el parte oficial de un equipo médico que parecía crecer en razón directa al número de sus enfermedades.

No voy a trazar ahora la historia sangrienta de su ascensión al poder ni de los métodos represivos conforme a los cuales se mantuvo en él por espacio de treinta y nueve años: el célebre millón de muertos de la guerra civil, los centenares de miles de presos y fusilados de la posguerra, el exilio de otro millón de españoles entre los que se encontraban las personalidades más destacadas del mundo de la cultura, de Picasso a Casals, de Américo Castro a Guillén, de Buñuel a Cernuda. Tampoco me referiré a las no por paradójicas, menos previsibles consecuencias del cambio económico operado bajo su égida mediante la rígida disciplina militar impuesta a la clase obrera y la increíble opresión del campesinado, proceso que debía desembocar en la década de los 60 en la conversión del país en una sociedad industrial moderna: esta temida realidad contra la que precisamente lucharon numerosos españoles de su bando, defensores de una España tradicional e inmóvil, burlados así en su muerte u obligados a asistir en vida a la apoteosis de unos valores económicos que ni la Reforma protestante, ni el Siglo de las Luces ni la Revolución industrial lograron aclimatar en nuestro suelo. Transformaciones en cadena: pacífica invasión anual de treinta millones de turistas; emigración laboral masiva a los países de la Comunidad Económica Europea; creciente inversión de capitales extranjeros, principalmente norteamericanos; industrialización acelerada del país; abandono de las primitivas relaciones de producción en el sector agrario. Trastornos fundamentales, rotundos, que, al abrir un creciente foso entre la estructura de una sociedad dinámica, llena de vida y una superestructura política propia de otro tiempo, deberían zapar de modo sordo los fundamentos de su régimen, en razón misma de su aparente y ostentoso triunfo. Verdugo y a la vez creador involuntario de la España moderna, corresponde a los historiadores, y no a mí, establecer su verdadero papel en el curso de los últimos cuarenta años, sin incurrir en las falsedades de la hagiografía oficial ni en las deformaciones de su correspondiente leyenda negra.

En la hora de su muerte quisiera extenderme más bien en lo que ha significado su existencia para quienes éramos niños durante la guerra civil —hombres y mujeres hoy, condenados a la anómala situación de envejecer sin haber conocido, a causa de él, juventud ni responsabilidades. Tal vez la característica distintiva de la época que nos ha tocado vivir haya sido ésta: la imposibilidad de realizarnos en la vida libre y adulta de los hechos, de intervenir de algún modo en los destinos de la sociedad fuera del canal trazado por él de una vez para siempre, con la consecuencia obligada de reducir la esfera de acción de cada cual a la vida privada o empujarle a una lucha egoísta por su bienestar personal y sometida a la ley del más fuerte. No se me oculta que la mera posibilidad de resolver el problema económico inmediato, por injusto y cruel que haya sido el procedimiento seguido para obtenerla, significa una mejora considerable respecto a las condiciones imperantes en la sociedad hispana de antes de la guerra, y preciso es reconocer que, disociando los términos de libertad y bienestar, gran número de españoles se han acomodado relativamente bien a un «progreso» que desconoce la necesaria existencia de libertades. Pero, para los hombres y mujeres de dos generaciones sucesivas, más o menos dotados de sensibilidad social y moral, y para quienes la libertad de medrar o enriquecerse de forma más o menos honesta no podía satisfacer en modo alguno sus aspiraciones de equidad y justicia, las consecuencias del sistema han sido de un efecto devastador: un verdadero genocidio moral. Ante la imposibilidad material de enfrentarse con el aparato represivo institucionalizado por él, todos nos hemos visto abocados, en un momento u otro de nuestra vida, con el dilema de emigrar o transigir con una situación que exigía de nosotros silencio y disimulo, cuando no el abandono suicida de los principios, la resignación castradora, la actitud cínica y desengañada. Una pequeña minoría escogió con gran valor una tercera y más difícil vía: la de las grandezas y miserias de una lucha clandestina que, por su carácter reiterativo y a causa de la desproporción de las fuerzas en juego, ha convertido la política, hasta fecha reciente, en una especie de droga y al opositor en este tipo de adicto, tan frecuente en la vida española, cuya monótona fraseología triunfalista, desmentida por la cruda verdad de los hechos, no es más que un reflejo de su impotencia absoluta y cuyas razones, más que razones, son actos de voluntad, ya que no de fe. Exilio, silencio, dimisión o *wishful thinking* trocado a la larga en mitomanía: años y años y años de dolor, frustración y amargura mientras —a menudo por razones que poco tenían que ver con su clarividencia personal y aun con la coyuntura propiamente española— el panorama del país

14

se transfiguraba, fábricas, bloques de viviendas y complejos turísticos destruían el paisaje ancestral, ríos de automóviles llenaban calles y carreteras y la renta nacional brincaba en diez años de 400 a 2.000 dólares por cabeza.

Sólo él no cambiaba: Dorian Gray en los sellos, diarios o enmarcado en los despachos oficiales en tanto que los niños se volvían jóvenes, los jóvenes alcanzaban la edad adulta, los adultos perdían cabellos y dientes y quienes, como Picasso o Casals, juraron no volver a España el tiempo en que él viviera bajaban al sepulcro, lejos de la tierra en que nacieron y donde normalmente hubieran podido vivir y expresarse. Su presencia omnímoda, ubicua, pesaba sobre nosotros como la de un padre castrador y arbitrario que gobernara nuestros destinos por decreto. Recuerdo como si fuera hoy que a los veinte años escasos escribí una fábula ingenua, denunciando su poder y soñé inmediatamente después que me hallaba preso. Junto a la censura promovida por él, su régimen creaba algo peor: un sistema de autocensura y atrofia espiritual que ha condenado a los españoles al arte sinuoso de escribir y leer entre líneas, a tener siempre presente la existencia de un censor investido de la monstruosa facultad de mutilarlos. La libertad de expresión no es algo que se adquiera fácilmente. Por experiencia propia sé que me fueron precisos grandes esfuerzos para eliminar de mi fuero interior un huésped inoportuno: el policía que se había colado dentro sin que aparentemente nadie le hubiera invitado a ello. Probablemente, el día que periodistas y escritores españoles se sienten a escribir desembarazados del peso de este Super-Ego, experimentarán ese mismo temor que me sobrecogió a mí ante el vértigo de un vacío súbito —esa libertad que se abre a los pies de uno, el poder decir sin rodeos lo que uno piensa. Lucha no exterior sino interna contra el modelo de censura intrasíquica, de censura incluida en el «mecanismo del alma», según la conocida expresión de Freud. Tal vez para muchos intelectuales de mi edad, la liberación llegue demasiado tarde y no puedan habituarse nunca a una escritura responsable —víctimas ya para siempre de un esterilizador Super-Ego, proyección interiorizada de su ilimitado poder.

Su pragmatismo político, fundado en un corto número de premisas simples, del orden de las que figuran en su testamento —fue, como leí recientemente, el «único táctico en un país de estrategas»— no presuponía lealtad ideológica alguna fuera de la pura obediencia. La escala oficial de virtudes y méritos se medía tan sólo en proporción a la fidelidad a su persona. Ello creaba por consecuencia —junto a una minoría corrupta que acaparaba celosamente para sí los beneficios y prebendas— una enorme masa de ciudadanos sometidos a una perpetua minoría legal: imposibilidad de votar, comprar un periódico con diferentes opiniones que el gobierno, leer un libro o ver una película no censurados, asociarse con otros ciudadanos disconformes, protestar contra los abusos, sindicarse. Inmensos potenciales de energía que, al no verterse por los cauces creativos habituales, se transformaban inevitablemente en neurosis, malevolencia, alcoholismo, agresividad, impulsos suicidas, pequeños infiernos privados. Algún día la psiquiatría española deberá analizar seriamente los resultados de esta tutela maligna sobre una masa de adultos constreñidos a soportar una imagen degradada de sí mismos y asumir ante los demás una conducta inválida, infantil o culpable. Las represiones y tabús, los hábitos mentales de sumisión al poder, de aceptación acrítica de los valores oficiales que hoy nos condicionan no se desarraigarán en un día. Enseñar a cada español a pensar y actuar por su cuenta será una labor difícil, independientemente de las vicisitudes políticas del momento. Habrá que aprender poco a poco a leer y escribir sin miedo, a hablar y escuchar con entera libertad. Un pueblo que ha vivido casi cuarenta años en condiciones de irresponsabilidad e impotencia, es un pueblo necesariamente enfermo, cuya convalecencia se prolongará en razón directa a la duración de su enfermedad.

Muchas veces —a medida que se consumaba la ruptura afectiva con mi país y a mi alejamiento físico de él se añadía un nuevo distanciamiento, de orden espiritual— he pensado en este personaje cuya sombra ha pesado sobre mi destino con mucha mayor fuerza y poder que mi propio padre. Un personaje a quien no vi físicamente jamás y que a su vez ignoraba mi existencia, pero que era el origen de la cadena de acontecimientos que suscitaron mi exilio y vocación de escritor: el trauma incurable de la guerra civil y la muerte de mi madre en un bombardeo de su aviación; la aversión al orden conformista en que los suyos quisieron formarme y cuyas odiosas cicatrices llevo aún; el deseo precoz de abandonar para siempre un país forjado a su imagen y en cuyo seno me sentía como un extraño. Lo que hoy soy, a él lo debo. El me convirtió en un Judío Errante, en una especie de Juan sin Tierra, incapaz de aclimatarse y sentirse en casa en ninguna parte. El me impulsó a tomar la pluma desde mi niñez para exorcizar mi conflictiva relación con el medio y conmigo mismo por conducto de la creación literaria.

Otros han tenido menos suerte que yo. No hablo sólo de sus innumerables víctimas físicas, sino de lo destruido y arruinado en las conciencias de quienes han tenido que aceptar el derrumbe de sus ideales más nobles, su propia muerte moral. O de los deseos y esperanzas asociados a la eliminación del orden que impuso en España mediante la fuerza y que muchos no vieron realizarse jamás. Pienso en Cipriano Mera, comandante del IV Cuerpo de Ejército republicano, muerto en un hospital de París en la oscuridad y la pobreza mientras el equipo quirúrgico más moderno del mundo lo mantenía a él artificialmente en vida. Pienso en León Felipe, Max Aub, Julio Alvarez del Vayo y tantos otros que mantuvieron heroicamente hasta el fin la fidelidad a los principios por los que generosamente lucharon. Su final siniestro —digno del pincel de Goya o la pluma de Valle Inclán— llega demasiado tarde para ellos. Nadie podrá resucitarlos.

En lo que a mí respecta la noticia viene también con retraso: algo así como la aceptación de una propuesta amorosa largo tiempo después de haber sido hecha, cuando el autor de la misma se ha cansado de la espera y organiza como puede su vida en función de otra persona. Para haber producido todo su impacto, debería haber llegado quince años antes, cuando conservaba intacta mi pasión por el país y hubiera podido intervenir en su vida pública con mayor fe y entusiasmo que ahora. En 1975 soy, como dijo el poeta Luis Cernuda, «un español sin ganas» —un español que lo es porque no puede ser otra cosa. El daño ha sido también irreparable y a él me acomodo a mi manera, sin rencor ni nostalgia.

Su apego feroz a la vida —esa resistencia obstinada que tanto sorprendió a quienes presenciaron su agonía interminable— arroja todavía tintas más negras sobre el personaje que pocas semanas antes envió fríamente al paredón, sin atender a las protestas del mundo entero, a

18

cinco compatriotas jóvenes, culpables del imperdonable delito de responder con violencia a la violencia legalizada de su gobierno.

Me cuesta la fórmula, pero la arrancaré a la fuerza de mis labios, a condición, claro está, de que no siga reinando desde la tumba: en la medida en que, libre de su presencia al fin, el país viva y respire, «descanse él en paz».

25 de noviembre de 1975

HEMOS VIVIDO UNA OCUPACION

Quien tuviere el ocio y curiosidad de hojear los archivos de la prensa española correspondiente a los ocho primeros meses de 1868 para contrastarlos a continuación con los del período que siguió al golpe militar de septiembre de dicho año, tropezaría con un fenómeno de acromatopsia del que, desde la muerte de Franco, todos somos conscientes: el paso brusco de una prensa «gris», de un país en el que aparentemente no sucede nada, a una prensa en «tecnicolor», que nos revela que sí está pasando algo; de unos laboriosos ejercicios de escritura en los que los plumíferos de la época emulaban en el noble arte de la oquedad sonora, la inanidad prolija, vagarosa y gárrula, a una sorprendente avalancha de informaciones sobre hechos y problemas reales y concretos; de artículos y crónicas soporíferos sobre el invierno, los gatos, las castañeras, las ventajas e inconvenientes del sombrero y *tutti quanti* a editoriales y llamamientos donde se habla de libertad, derechos, partidos, elecciones, democracia. Acromatismo impuesto por decreto, semejante al que en las últimas décadas intentaba acreditar la versión oficial, inmovilista, de que la actualidad de la desdichada Península se reducía a una ronda fantasmal de discursos, inauguraciones, desfiles, procesiones religiosas, partidos de fútbol, corridas de toros.

En uno y otro caso, la lectura contrapuesta de nuestros periódicos y revistas a partir de la línea divisoria del pronunciamiento antiisabelino o la muerte del general Franco nos descubre un hecho de incalculables consecuencias: el escándalo moral de haber vivido una larga e invisible ocupación sin cascos, fusiles ni tanques —ocupación, no de la tierra, sino de los espíritus, mediante la expropiación y secuestro por unos pocos del poder y ejercicio de la palabra. Años y años de posesión ilegítima y exclusiva destinada a vaciar los vocablos de su genuino contenido —evocar la libertad humana cuando se defendía la censura, la dignidad y la justicia en materia de sindicatos verticales— a fin de esterilizar la potencia subversiva del lenguaje y convertirlo en instrumento dócil de un discurso voluntariamente amañado, engañoso y adormecedor. Monopolio del habla y escritura en manos de seudo-políticos, seudo-sindicalistas, seudo-científicos, seudo-intelectuales, seudo-escritores que, dentro o fuera del «bunker», tiemblan hoy de pánico y sacrosanta indignación al observar que sus presuntas verdades intangibles son objeto de discusión, que sus privilegios arbitrarios son puestos en tela de juicio, que atentar a sus rancios dogmas ha dejado de ser sacrílego —viendo, con rabia e impotencia, que quienes habían vivido en exilio o amordazados comienzan a elevar la voz y que para defender sus propias sinecuras y prebendas deben saltar a la palestra y luchar como cualquier hijo de vecino; comprobando, en fin, con desolación y abatimiento, que el pueblo les ha perdido el respeto y no por afán de venganza, sino por espíritu de equidad, se dispone tal vez a pedirle cuentas. Miedo, indignación, cólera ciega que, a nivel popular, entre la actual masa de lectores sedientos y ávidos, se traduce en sentimientos de sorpresa, incredulidad, maravilla al presenciar la caída estrepitosa de los ídolos, el encierro de los bueyes procesionales, el eclipse paulatino de los zombis, el retiro anticipado de tantos y tantos paquidermos enmedallados. Cambio gradual que, día a día, pulgada a pulgada, abre nuevas brechas y grietas en la vetusta cárcel verbal erigida por la censura, desarticula la rígida camisa de fuerza que paralizaba a los diarios, permite la entrada de oxígeno y aire fresco en los sufridos pulmones de la gran masa.

Todos conocemos los efectos de dicho sistema opresivo en nuestra propia conciencia: los vocablos suprimidos, las críticas informuladas, las ideas ocultas o expresadas con cautela que se almacenan en el pecho, el corazón y la sangre hasta intoxicarnos; la defensa pasiva contra la palabra monopolizada en forma de bromas y chistes de café, nuestra triste y eterna válvula de escape. Frente a tal situación de envenenamiento y asfixia, el sistema actual de semilibertad tolerada nos parece casi una breva: el reajuste lenitivo del lenguaje a los hechos, el fin de la continua y penosa esquizofrenia de vivir día tras día entre dos planos distintos e inconciliables. Mejora que, en razón de su carácter nuevo y exaltante para la inmensa mayoría de los ciudadanos, les oculta no obstante el reverso de la medalla: las consecuencias perdurables de la amputación de que han sido víctimas; las secuelas de un largo proceso de colonización mental que, al ahogar todo libre debate de ideas, les obliga a reaccionar en muchos casos a favor o en contra de unos pocos esquemas maniqueos, sin cuestionar jamás la verdad de los principios discutidos ni el grado de contaminación sufrido por las palabras.

Los efectos de dicho estado de cosas están a la vista de todos: por un lado, un fenómeno de polución verbal (tan grave como el neblumo que en nuestras ciudades empaña el medio ambiental con sus manufacturadas toxinas); por otro, un maniqueísmo ideológico que tiende a reducir la riqueza y variedad propias de toda sociedad avanzada y adulta a un simple repertorio bicolor de «nosotros» y «ellos», de buenos y malos de película. Independientemente de los obstáculos que se alzan ante las fuerzas populares y de la resistencia encarnizada del «búnker» y los nostálgicos del orden viejo, el camino hacia la democracia aparece sembrado de dificultades internas, fruto de nuestra inexperiencia en achaques de convivencia política y el empleo rutinario de fórmulas-comodín que muy a menudo convierten el presupuesto ejercicio de reflexión crítica en un mero sermón de clan o capilla para uso exclusivo de catecúmenos e iniciados. Abandonar los cuadros impuestos, examinar el peso específico de los conceptos y palabras no será pues en un futuro próximo un excusable ejercicio retórico sino una empresa indispensable de salud nacional si queremos desembarazarnos de verdad de las resultas de la opresión anterior y emprender la ruta hacia una sociedad libre y justa, digna y habitable.

En unas páginas escritas con ocasión de la muerte de Franco —y que permanecen todavía inéditas en el país, en virtud del célebre dicho de Larra, «lo que no se puede decir no se debe decir»— analicé algunos de los aspectos del problema con el que hoy día nos enfrentamos: el de la extendida minoría legal en que todos hemos vivido: «Imposibilidad de votar, comprar un periódico con diferentes opiniones que el Gobierno, leer un libro o ver una película no censurados, asociarse con otros ciudadanos disconformes, protestar contra los abusos, sindicarse. Inmensos potenciales de energía que, al no verterse por los cauces creativos habituales, se transformaban inevitablemente en neurosis, malevolencias, alcoholismo, agresividad, impulsos suicidas, pequeños infiernos privados. Algún día la psiquiatría española deberá analizar seriamente los resultados de esta tutela maligna sobre una masa de adultos constreñidos a soportar una imagen degradada de sí mismos y asumir ante los demás una conducta inválida, infantil o culpable. Las represiones y tabúes, los hábitos mentales de sumisión al poder, de aceptación acrítica de los valores oficiales que hoy nos condicionan no se desarraigarán en un día. Enseñar a cada español a pensar y actuar por su cuenta será una labor difícil, independientemente de las vicisitudes políticas del momento. Habrá que aprender poco a poco a leer y escribir sin miedo, a hablar y escuchar con entera libertad. Un pueblo que ha vivido casi cuarenta años en condiciones de irresponsabilidad e impotencia, es un pueblo necesariamente enfermo, cuya convalecencia se prolongará en razón directa a la duración de su enfermedad».

Pretender, como pretenden hoy algunos, que el régimen franquista es un fenómeno del pasado basándose en el hecho de que el nombre de su fundador ha desaparecido casi no sólo de las conversaciones públicas y privadas, sino también de la televisión, la radio, las revistas y los diarios, me parece tan abusivo como engañoso. Los pueblos, como los individuos, se inclinan a correr un tupido velo sobre aquellos períodos del pasado con los que han dejado de identificarse, sin curarse por ello del trauma sufrido. Los alemanes dejaron de hablar de la noche a la mañana de los horrores del hitlerismo y los franceses de las páginas poco gloriosas de la Ocupación, mientras que los soviéticos exorcizaron sus demonios estalinianos con la panacea ilusoria del llamado culto de la personalidad. Dichos traumas, cuidadosamente enterrados, prosiguen con todo su labor de zapa, como nos muestra la actual floración de libros y films franceses sobre los tiempos de Vichy y la resignación de un gran sector popular al nuevo orden impuesto por los nazis.

Las huellas del franquismo en nuestro espíritu —por muy remota que hoy nos parezca la figura de Franco— serán difíciles de borrar. El posibilismo —o arte de adaptar la pluma a la existencia de la censura— se ha convertido en una especie de segunda naturaleza de los autores españoles, con todas las consecuencias que ello implica: autocensura, arte del elipse, exposición indirecta de los hechos, alusiones, medias palabras —creando así, paralelamente, un público lector ducho en el arte de leer entre líneas y captar las intenciones ocultas de un texto aparentemente inofensivo e inocuo. Esta deformación profesional de escritores y lectores ha desempeñado un papel de primer plano durante el sistema franquista, especialmente en sus postrimerías. La lectura de nuestros periódicos o semanarios de los últimos tres años nos procura abundantes muestras de un juego cuyas reglas —por exigir un cierto entrenamiento y un mínimo de adaptación por parte del destinatario a la gimnasia mental del escritor— escapan fácilmente a un lector extranjero procedente de un país democrático, pero no a un español atento a las sutilezas y bizantinismos de quien, para expresarse, debe recurrir a perífrasis y giros de escritura retorcidos y alambicados.

Al mismo tiempo que este violento ejercicio de lectura oblicua —que daría estrabismo o tortícolis al público de cualquier otro país menos sufrido que el nuestro—, la censura franquista ha condenado a lectores y autores a una atrofia intelectual y moral, y lo que es peor, ha provocado en ellos un sentimiento inconsciente de culpabilidad del que, como sé por experiencia propia, resulta extremadamente difícil liberarse. «La censura —dice el sociólogo francés Jean-Paul Valabrega —castiga a la vez al emisor y al receptor, al que escribe como al que lee. Mientras que en la prohibición penal ninguna regla castiga a la vez al culpable y a la víctima, en el acto de censura no hay culpable ni víctima. Todo el mundo es culpable, exceptuando, claro está, el censor. Todo el mundo es considerado cómplice en potencia. Todo el mundo es encubridor. Por consiguiente, si la examinamos desde el punto de vista en que se sitúa el censor, vemos que la censura se dirige a una especie de culpabilidad latente y universal.» Estas reflexiones nos ayudan a comprender la situación ambigua del escritor español no sólo durante los últimos treinta y nueve años, sino también durante todos los períodos históricos —la regla, y no la excepción— en que ha vivido bajo un régimen de inquisición y monolitismo ideológico. La obligación de convivir con la censura, la resignación melancólica al posibilismo, son en gran parte responsables del retraso, los límites y deficiencias de nuestros autores, condenados bajo el franquismo —como en otras épocas— al exilio o la semiverdad. Posibilismo implica autocensura y, a fin de cuentas, colaboración entre el escritor y el censor.

La necesidad de escribir conforme a ciertas normas se traduce en una grave limitación de las facultades creadoras del autor y en un constante, enfermizo temor a ejercerlas. Así se explica el fenómeno que he denunciado en más de una ocasión: la ocupación de una lengua —la nuestra, la que leemos y empleamos todos los días— por una casta omnímoda que mutila sus posibilidades expresivas mediante una violencia solapada sobre sus significados virtuales. Podemos hablar en verdad de idiomas ocupados como hablamos de países ocupados, y la actitud del creador en el primer caso debe ser la del patriota en el segundo: de resistencia y rebeldía, gracias a un proceso de ruptura con los clisés y estereotipos de lenguaje (ese uso y abuso del tuteo con Pablo, Rafael o Federico después de haber soportado los de Ramiro y José Antonio), los mitos y cárceles mentales entre los que, a veces inconscientemente, se mueve. Tal posición semejante a la del guerrillero o, francotirador en un país ocupado, exige, como es obvio, una lucha heroica, cotidiana, por parte del escritor que escoge vivir en su país y no se resigna a la influencia castradora del posibilismo. No es casual, pues, que gran parte de las obras más significativas y durables escritas o realizadas durante el largo reinado de Franco hayan sido creadas por españoles que han vivido y trabajado en el extranjero: Américo Castro, Buñuel, Alberti, Semprún, Max Aub, Arrabal, Luis Cernuda. Toda producción literaria o artística está condicionada por un conjunto de factores que escapan en parte a la voluntad de su creador: es fruto a la vez de un esfuerzo individual y del medio histórico en el que aquél se inserta. La producción literaria —como la búsqueda científica, el pensamiento filosófico, etc.— no puede prosperar sin un mínimo de circunstancias favorables: cuando éstas no se dan, el creador tiene el derecho de emigrar y acogerse a un clima propicio sin el cual su obra no existiría. La presencia de la censura —por muy «liberal» que sea hoy día, después de la muerte de Franco— constituye un obstáculo insalvable de cara al desenvolvimiento de una cultura española del mismo nivel que la francesa, inglesa, alemana o italiana. Existen, sí, algunos escritores lúcidos y aislados que, como escribía no hace mucho un autor joven, «le recuerdan a la literatura española *su lugar*». Pero una golondrina (o varias golondrinas) no basta (o bastan) para crear un verano.

Por primera vez en espacio de casi cuarenta años —es decir, en el de dos generaciones y media— el pueblo español tiene la posibilidad real de intervenir en la vida pública y forjar así su propio destino y los escritores e intelectuales, aun aquellos que no formamos parte de la clase política, no podemos permitirnos el lujo de desaprovecharla. En el nuevo período histórico que se abre para el país, quisiera evocar y hacer mías las palabras de Blanco White, cuando saludaba desde Londres la reacción popular española contra la intervención imperialista de Bonaparte: «Dejad que todos piensen, todos hablen, todos escriban. Desterrad todo lo que se parezca a vuestro antiguo gobierno».

No hay que contentarse, por tanto, con reclamar la abolición de la censura —medida que, por otra parte, no puede disociarse de una transfiguración radical de todas las estructuras políticas, sociales y económicas del país. Hay que demostrar, desde ahora, su carácter anacrónico e inoperante, por medio de la creación descondicionada, libérrima, de una serie de obras que, secuestradas o no por los Tribunales, la hagan perecer bajo los golpes del arma más eficaz que podemos esgrimir contra ella: la de su impotencia y ridículo.

El franquismo no puede ni debe sobrevivir a la muerte física de quien lo creó. Depende de nosotros, y sólo de nosotros —escritores, intelectuales, lectores—, el poner fin de una vez para siempre, con rigor, voluntad y firmeza, a los efectos de su larga e invisible ocupación.

MARGINALIDAD Y DISIDENCIA:
LA NUEVA INFORMACION REVOLUCIONARIA

Entre 1958 y 1964, durante los primeros años de mi exilio voluntario en Francia, publiqué con diferentes seudónimos en *L'Express* y *L'Observateur* un cierto número de artículos, reportajes y ensayos sobre la interminable pesadilla inmóvil que vivía el país bajo la dictadura del general Franco. En unos tiempos en que la prensa «nacional», totalmente sometida a las directivas del poder, se consagraba con tenacidad digna de mejor causa a la triste tarea de desinformar a los lectores, y los *mass media* del extranjero prestaban poca o ninguna atención a los problemas interiores de España, me esforcé, en la medida de mis medios, en desvelar las condiciones políticas, sociales y culturales en que vegetaba el país y exponer el punto de vista de la oposición democrática. Aunque no militaba en el interior de ningún partido, contaba con el apoyo moral y visto bueno de los sectores más dinámicos y avanzados de aquélla tanto cuanto convenía con ellos en considerar la política de reconciliación nacional como la única alternativa real al franquismo susceptible de cicatrizar las heridas abiertas por la guerra civil y sacar al país del atolladero. Con todo, mi diferente apreciación de las consecuencias del despegue económico iniciado en la década de los sesenta y sus incidencias en la estrategia de la oposición ilegal, me condujeron a expresar públicamente mi desacuerdo con sus enfoques: por coincidir con la crisis interna del PCE que debía desembocar en la exclusión de Claudín y Federico Sánchez, mi actitud pudo ser, y fue, erróneamente interpretada como un apoyo exterior a los puntos de vista de éstos, lo que me valió una réplica oficial del partido en la revista *Realidad*. No abrigando el menor deseo de retractarme ni mantener una polémica que sólo podía beneficiar a los hombres del Régimen, decidí cortar mi modesta coleta de periodista y abstenerme de toda intervención directa en la vida política española —una postura que, ejerciendo violencia sobre mí mismo, he seguido desde entonces hasta la muerte de Franco.

El incidente que menciono, aun en su nimiedad, me ayudó a comprender la imposibilidad en que me hallaba de asumir una posición de francotirador en un contexto político definido *ab initio* por la ausencia absoluta de libertades. La crítica política supone, en efecto, la realidad de un marco constitucional democrático, por exiguo que sea: la existencia de partidos políticos y sindicatos representativos de las distintas fuerzas y corrientes ideológicas de la sociedad y de una masa de ciudadanos adultos y responsables. En un país donde no hay ciudadanos sino súbditos, y desprovisto por tanto de *espacios de discusión*, la independencia del intelectual es puro espejismo. Sin un ejido de ideas o ámbito plural, el escritor que rehúsa someterse al poder y juega el derecho de pensar

31

por su cuenta un derecho humano fundamental e inalienable, se ve condenado al silencio o al ostracismo moral. No pudiendo renunciar a este derecho me vi convertido en escritor «maldito» menos por voluntad propia que en razón de un contexto que no sólo me arrinconaba sino que me imponía con urgencia un cambio de lenguaje.

Dicha marginalidad operaba en un doble plano: por un lado, había el silencio impuesto a mí y a mi trabajo por quienes detentaban el monopolio de la palabra; por otro, la imposibilidad de expresar mi disidencia desde las filas de una oposición que luchaba por hacer oír su voz en condiciones precarias y difíciles. En el primer nivel, me encontraba en la situación paradójica de existir y no existir a la vez que evocaba el filósofo marxista Karel Kosik en su carta abierta a Jean-Paul Sartre: no existía en cuanto ciudadano, puesto que no disponía del mínimo de derechos reconocidos a éste desde 1789, ni como escritor, en la medida en que mis obras eran «ninguneadas» en España, oficial y administrativamente hablando. Pero al mismo tiempo el franquismo me concedía una existencia excepcional, como lo probaba el celo extremo de la censura en acallar mi nombre y el interés con que sus funcionarios rastreaban la presencia de mis libros en las trastiendas de las librerías que los vendían de contrabando. No existía si quería protestar contra tal situación, pero existía en las listas negras y consignas de silencio de los diarios, la radio y la televisión. Podía circular por España, pero circulaba a medias, como entidad puramente física, privado de toda dimensión social, literaria y moral: fantasma de mí mismo, individuo sin sombra. Simultáneamente, la decisión de ejercer mi voluntad de pensar contra viento y marea me imponía una estrategia de la invención, a fin de no chocar con aquellas fuerzas políticas cuyo combate merecía —y merece— todas mis simpatías: la búsqueda de un lenguaje metapolítico que me permitiera decir lo que yo pensaba sin fomentar la división en el bando al que, pese a todo, pertenecía ni proporcionar argumentos a aquellos contra quienes, de manera solitaria y artesanal, seguía luchando. Mi obra novelesca adulta fue el resultado de dicha estrategia inventiva y reflejaba una doble tensión: era marginal y minoritaria no sólo porque el poder la relegaba a una especie de limbo sino también porque yo recurría en ella a un discurso nuevo, indirecto, que forzosamente debía sorprender y desconcertar. No obstante, gracias a ello, podía expresar lo que era indecible en un lenguaje *au premier degré*: dar cabida a las preocupaciones latentes en mi obra anterior —crítica de las sociedades burguesa y burocrática, ajenas por definición a los problemas de los seres humanos concretos; necesidad de un cambio radical de nuestros valores culturales, sociales, morales; actitud tercermundista y hostil a los criterios y normas de conducta de la civilización judeocristiana, etc.— proyectándolas a un nuevo ámbito: *el de los deseos reprimidos, la utopía y la imaginación.*

II

En la nueva fase que vive el país desde la muerte inesperada —al menos para mí, a veces todavía dudo de que sea cierta— del general Franco, las perspectivas son, por fortuna, distintas. Poco a poco, los españoles se acostumbran a oír un discurso político diferente del que vehicula el poder; sindicatos y partidos comienzan a or-

33

ganizarse; aunque con algunas cortapisas, la prensa ilustra las luchas y tensiones de las diversas fuerzas político-sociales e inaugura por consiguiente un espacio plural de crítica y discusión que debe ser el ozono de nuestra futura sociedad democrática. En esta etapa, gran número de intelectuales y escritores optan por integrarse en los grupos políticos que emergen a la luz después de cuarenta años de forzosa clandestinidad, con el propósito de articular sus ideas e ideales con los de aquella organización con la que coinciden o se sienten más afines, y darles así una proyección concreta en la praxis de la lucha diaria. Tal actitud, consecuente con sus aspiraciones y propósitos de transformar la sociedad injusta que todos conocemos ofrece, como es obvio, numerosas ventajas: abandono del aislamiento y compartimentación del período anterior; conciencia de solidaridad; mayor incidencia en las realidades específicas; asunción, en fin, de esta noble función de intelectual orgánico, brillantemente trazada por Gramsci, en contraposición a la del intelectual humanista clásico, bienintencionado pero ineficaz. Este compromiso con la realidad es absolutamente indispensable en el ámbito de la sociedad pluralista y todos debemos felicitarnos del ingreso de muchos de nuestros mejores intelectuales y escritores en las distintas familias políticas liberales, democristianas, socialdemócratas o marxistas. Al mismo tiempo, dichos agrupamientos abren ante sí nuevos espacios y oquedades que —como los ojos del queso— auspician a su vez la expresión de aquellos discursos y voces marginales, inasimilables que no se reconocen en ninguno de los partidos en que se integran los intelectuales orgánicos. Desde el momento en que cada oveja puede escoger su corral, algunos descubren que no lo tienen y son auténticas ovejas negras.

Marginales e irreductibles como, por citar un ejemplo fácil, lo son los gitanos en nuestra odiosa sociedad represiva, su mera existencia es y debe ser un perpetuo reproche a las presuntas nociones de derecho, razón y justicia en que, cualquiera que sea la organización estatal, se adormecen las buenas conciencias. Admitidas por fin la existencia y utilidad de los intelectuales orgánicos, quisiera reivindicar ahora el derecho a la palabra de quienes *nos sentimos moralmente gitanos* y elaborar a partir de dicha disidencia algunas propuestas que podrían servir de base en lo futuro a una práctica revolucionaria del derecho a la información.

III

Como saben los españoles por experiencia propia, las dictaduras reaccionarias o fascistas alegan siempre la ignorancia y atraso de los pueblos para acallar su voz y establecer indefinidamente en favor de ellas el monopolio absoluto de la palabra: ésta fue la regla impuesta por el salazarismo en Portugal y el franquismo en España y, con mayor o menor rigor, sigue aplicándose hoy en la mayoría de países de Iberoamérica. Ahora bien, invocar la ignorancia de un pueblo para encadenarle y privarle del habla es, como oí decir una vez, impedir a un lisiado la posibilidad de luchar contra su propia invalidez. El que el camino que lleva a la sociedad democrática sea lento, difícil y se halle erizado de dificultades no es una razón valedera para que renunciemos a él, sino todo lo contrario. Si los países que hoy admiramos por su convivencia política y sus realizaciones en el terreno de la igualdad

35

económica y social no hubiesen aceptado el desafío de los riesgos y errores que se interponían en el camino de su ideal democrático, seguirían sin duda en las mismas condiciones de injusticia, desamparo y atraso que prevalecen aún entre nosotros después de casi cuarenta años de «paz social».

Pero si la exigencia de la libertad de expresión en la España de Franco o el Portugal salazarista obtiene el consenso de todos los hombres liberales y progresistas, tratándose de las llamadas democracias populares de la Europa del Este o del mismo Portugal en la época del gobierno Gonçalves, vemos surgir entre ellos una serie de discrepancias que dan al contenido mismo de dicha exigencia un carácter ambivalente y ambiguo: mientras en el caso del régimen fascista la libertad de prensa se presenta como un bien absoluto y una exigencia democrática, esta misma libertad resulta ser en Hungría, Polonia y Checoslovaquia un bien prescindible y una exigencia reaccionaria. Un sector muy amplio de la izquierda europea parece haberse encerrado en un dilema insoluble y paralizante: el que contrapone el principio liberal de la libertad de información y el principio progresista que subordina el primero al triunfo y consolidación del poder revolucionario. Prisionero de dicha alternativa, el pensamiento de numerosos intelectuales de izquierda pierde de pronto su capacidad de funcionar.

En un interesantísimo artículo publicado en *Le Nouvel Observateur*,[1] Edgar Morin exponía la triple operación lógica subyacente al dilema en unos párrafos que nos permitiremos reproducir *in extenso*:

1. *La liberté révolutionnaire*, 30-6-1975.

1) La libertad de prensa es una libertad formal y en el proceso revolucionario se convierte en un lujo superficial para intelectuales burgueses y debe subordinarse a la conquista de las libertades reales por las masas trabajadoras.

2) La libertad de prensa es peligrosa en un proceso revolucionario: en la medida en que las masas se hallan influidas aún por la ideología dominante, la libertad de prensa es a la vez el telón y el arma de la contrarrevolución.

3) Si se plantea entonces un conflicto entre libertad de prensa y proceso revolucionario, la revolución sólo puede progresar en detrimento de la libertad de prensa.

En estas condiciones, prosigue el articulista, toda protesta a los atentados contra la libertad de expresión, «aparece necesariamente como una actitud moderada que frena la revolución; peor aún, como una actitud contrarrevolucionaria». De este modo, la línea divisoria entre revolucionarios y reaccionarios se establece de modo automático entre «quienes defienden un papelón en vez de pensar en instruir y dar alimento a un pueblo analfabeto y hambriento» y los revolucionarios de verdad, y condena a los primeros «al muladar de la historia».

Dicha lógica debería tener en cuenta las diferencias obvias que separan el caso de los pueblos hambrientos y analfabetos (como lo era por ejemplo China antes del triunfo de Mao) de los que ya no lo son (bastaría evocar el caso de Checoslovaquia, con su nivel de vida modesto pero aceptable, su avance tecnológico y tradición democrática en el momento de la toma del poder por el PCC en 1948), y lo que puede justificar *provisionalmente* a

37

unos no toca desde luego a quienes mantienen celosamente a un pueblo sofisticado y adulto en un perpetuo estado de minoría legal. Pero el problema de fondo con todo no es éste, y nadie ha probado hasta la fecha que las libertades «formales» y reales sean proposiciones irreductiblemente antagónicas. El quid del asunto nos lo procura la experiencia de más de medio siglo de monopolio de la verdad e información en manos de la omnímoda burocracia soviética. Ante una experiencia tan concluyente en términos de dogmatismo y desinformación, no podemos sino coincidir con el articulista cuando se pregunta:

> La urgencia revolucionaria invocada para sacrificar la libertad de prensa, ¿no encubre en realidad la elaboración de una estructura permanente?; la idea de autodefensa del proceso revolucionario, ¿no disimula acaso la propagación de una nueva intoxicación bajo la tapadera de la palabra «revolución»?

Dichas preguntas nos remiten aún, al cabo de más de cincuenta años, a la célebre polémica entre Rosa Luxemburgo y Lenin. Los límites que impone el presente trabajo, me impiden ahora detenerme en ella; no obstante, quisiera indicar que, en mi opinión, los hechos han dado totalmente razón a los puntos de vista expuestos por la primera. La libertad en la revolución no es una defensa solapada de la socialdemocracia, como nos han pretendido hacer creer: es, al contrario, el proyecto de la gran revolucionaria alemana, asesinada precisamente por los sicarios de aquélla. Tal como vemos hoy las cosas, si el partido único y el encuadre militar pueden ser temporalmente necesarios en los países sub-desarrollados y sociedades colonizadas o feudales del Tercer Mundo, sería aberrante convertir dicha necesidad en risueña virtud y proponerla de modelo a las sociedades más complejas y adultas del continente europeo. Para Rosa Luxemburgo, la existencia de consejos obreros no excluía el pluralismo y la libertad de expresión. Muy al revés: las llamadas libertades formales debían ser revitalizadas y ampliadas por la democracia directa. Pero volvamos todavía al artículo que comentamos:

> El control de la información invocado para construir el verdadero socialismo, es justamente el que permite construir un seudosocialismo (...) Si se han reconstituido en la URSS una dominación de clase y una explotación del hombre por el hombre, este nuevo poder se ha fundado en la apropiación elitista y jerárquica, de los medios de información por el partido (...) A la luz de este ejemplo (podemos concluir que) no hay un progreso de las libertades reales en la pérdida de las presuntas libertades formales. Toda represión de la información se traduce en una opresión de la sociedad (...) Hay que aprender de nuevo que la libertad no impide comer al proletario sino dormir al tirano. La idea de que hay que pagar la adquisición de un poco de igualdad con la privación de la libertad debe ser denunciada como un mito reaccionario.

La libertad de creación literaria y artística, el derecho de todo ser humano a pensar y expresarse por su cuenta no son, como oímos a menudo, lujos burgueses ni privi-

39

legios de aristócratas. Como vio muy bien Rosa Luxemburgo, la organización libre, abierta, compleja, democrática de la información es un problema fundamental de la futura sociedad socialista. El camino hacia ésta no pasa por la abolición de las libertades conquistadas por la democracia burguesa. El socialismo debe ser, al contrario, *la invención y exigencia permanente de nuevas, y más amplias, libertades.*

IV

Defender el derecho a la independencia intelectual suele suscitar una serie de reacciones desfavorables que se traducen en las consabidas acusaciones de «elitismo», «deseos de pontificar en solitario», «encierro en una torre de marfil»,[2] etc. Dichas acusaciones se emiten no sólo en las sociedades «socialistas» de modelo soviético —en donde el desdichado que es blanco de ellas suele dar con sus huesos en algún asilo siquiátrico—, sino también en el ámbito de las sociedades pluralistas del tipo de las que existen en Europa occidental —en las que aspira a integrarse la España de mañana. Los criterios de moral y eficacia convergen a menudo en la consideración del intelectual como agente activo de la lucha de clases, expositor de la ideología del proletariado y avanzadilla de éste en el campo de la democracia burguesa: corolario obligado de aquéllos es por tanto la adhesión militante del intelectual a alguna de las diferentes fami-

2. Quienes invocan esto último, lo hacen, a menudo, desde un búnker ideológico de hormigón armado.

lias marxistas que luchan por la liquidación del poder político y económico de la burguesía y el advenimiento de una sociedad auténticamente igualitaria. Este compromiso, repetimos, es legítimo e indispensable dentro del espacio plural democrático burgués : sin él, el sistema no funcionaría. Pero si el intelectual encuadrado en el aparato de cualquiera de los grupos que organizan y manejan a las masas conforme a sus propios principios e intereses participa activamente de este modo en las transformaciones que postula y somete su ideología a la prueba de fuego de la praxis, debe renunciar en cambio a la crítica de las ideas y los hechos fuera del marco trazado por el partido en cuyo seno milita, conforme a unos esquemas tácticos y estratégicos que no siempre tienen en cuenta las exigencias de la verdad y la justicia. Por A o por B hay, ha habido y habrá siempre cuestiones de las que no es *oportuno* hablar de momento : simples cuestiones de *oportunidad*; y sometiéndose a la lógica del consabido argumento, el intelectual aceptará, a veces sin darse cuenta, la dura necesidad de ser *oportunista* (el silencio que hoy envuelve a Eva Forest y sus compañeros de detención es un buen ejemplo de lo que digo). Por otra parte (y sobre ello volveremos más adelante), la máquina administrativa de los partidos y sindicatos implica la existencia de criterios de «normalidad» necesariamente represivos en la medida en que no toman en consideración, y por consiguiente rechazan, cuanto es heterogéneo o escapa a la síntesis, cuanto no se halla orgánicamente ligado al conjunto, a la masa.

Como nos muestra la experiencia desde el gran mayo francés, son los intelectuales independientes, los grupos marginales e inasimilables quienes plantean a menudo las cuestiones fundamentales de los seres humanos reales

41

y concretos —problemas inherentes a la liberación de la mujer, opresión de las minorías, negación de las realidades corporales, etc.—, ocultas siempre —pese a la fraseología que proclama lo contrario— tras los criterios pragmáticos de la acción y la alienadora abstracción de los programas. La exposición de una verdad no sometida a las reglas del cálculo ni adaptada a los intereses y conveniencias, puede desempeñar, y de hecho desempeña, un importante papel agitador en las aguas quietas del conformismo social y moral que vemos triunfar por doquiera. Los intelectuales independientes y grupos marginales actúan entonces como *aguafiestas que perturban el sueño de los demás con sus exigencias y rememoraciones inoportunas*. Esta acción energética y vitalizadora opera en un doble plano: por un lado, en la crítica de la política, no sólo de la burguesía en el poder, sino también de los partidos y organizaciones que la combaten, favoreciendo así la empresa de desacralización de las nuevas y opuestas iglesias marxistas y sus pontífices, dignatarios, dogmas, concilios, ceremonias rituales; [3] por otro, en la propuesta permanente de nuevas alternativas en términos de utopía e imaginación. Esto último me parece esencial tanto cuanto las llamadas utopías son el catalizador de las aspiraciones aún no formuladas pero presentes en la conciencia de los hombres —para quienes el objetivo primordial no radica en conseguir el poder sino en obtener la felicidad. Dichas utopías, como advirtió Kolakowski, sólo podrán cumplirse en lo futuro si nos atrevemos a plantearlas cuando son todavía irrealizables. El papel de avanzadilla utópica, de portavoz de

3. La intervención "herética" de Santiago Carrillo en la cumbre comunista de Berlín evoca con sinceridad insólita entre los líderes la gravedad de dicho problema.

una imaginación que no respeta los usos ni normas tradicionales, distingue así claramente la voz del marginal de la del intelectual humanista clásico. La crítica del primero no parte ya de los criterios universalistas y morales de quien se sitúa *au déssus de la melée* sino *del discurso diferente de lo irreductible a los principios éticos convencionales*. Como premisa indispensable, el marginal deberá *descalificarse moralmente* mediante la asunción voluntaria de todas las transgresiones y rupturas que lo convertirán a ojos del intelectual humanista en un paria o un apestado, y elaborar, a partir de dicha asunción, un lenguaje distinto, *deliberadamente provocador*. Sólo desnudándose podrá desnudar a los demás y apuntar a la insuficiencia y precariedad de un orden social y moral que elimina o pone entre paréntesis lo ajeno, inasimilable, excluido. Portavoz de lo condenable y negado, el marginal puede incorporar en su discurso la imaginación y la utopía y abrir el camino a una concepción revolucionaria de la información que, en vez de servir los intereses de los informadores, como es el caso en todos los países del mundo, exprese las voces de los presuntos informados, enajenados hoy, en el Este como en el Oeste, por un discurso siempre normativo, masificador y «orientador».

V

Por si la validez de la crítica de los intelectuales y grupos marginales en el ámbito plural configurado por la acción de los intelectuales orgánicos suscitara todavía algunas dudas, nos referiremos aunque sea a vuelapluma al dilema que hoy se plantea a los últimos en el interior del bloque soviético.

Tanto en la URSS como en las «democracias populares» del Este, los intelectuales orgánicos han sido los agentes de la revolución que ha liquidado el poder burgués y ha canalizado y dado un contenido ideológico a las aspiraciones un tanto confusas del proletariado. Pero la dictadura de éste ha resultado ser en suma una dictadura puramente nominal, puesto que el poder efectivo lo han ejercido y ejercen, en su nombre, los primeros. Si en las altas esferas del poder y jerarquías del partido figuran ex obreros, éstos se han convertido en intelectuales y se han fundido con ellos en una casta nueva y común, la de los burócratas del Estado.

Nadie mejor que Marcuse ha definido las características del sistema soviético, y a él me remito y remito a mis lectores.[4] Lo que me interesa subrayar ahora es que son los intelectuales quienes en Moscú, Budapest, Varsovia o Praga llevan las riendas del poder y han tomado posesión de los puestos ocupados antes por los patrones y dirigentes burgueses. La clase obrera ha conseguido una serie de ventajas materiales importantes (empleo y retiro asegurado, mayor igualdad de oportunidades en materia de educación, etc.),[5] pero ha perdido la posibilidad de organizarse y defenderse colectivamente frente a sus poderosos «representantes». El dilema de éstos en los inevitables conflictos de intereses que surgen y surgirán entre el poder y los trabajadores es así una pugna entre una conciencia moral personal y una ideología colectiva que enmascara hábilmente sus privilegios. El

4. *El marxismo soviético*, Revista de Occidente, Madrid, 1966.
5. Estas ventajas las ha obtenido también en el ámbito de la socialdemocracia en virtud del terror burgués al espectro del comunismo.

44

cinismo, los criterios pragmáticos y una razón histórica fundada en la interpretación torcida de los textos de Marx o Lenin, inclinan casi siempre el fiel de la balanza del lado de la ideología: en los recientes choques entre policías y huelguistas polacos, sólo un puñado de intelectuales, tildados precisamente, con desprecio, de *marginales* por las autoridades, tuvieron el valor moral de mantener la antigua alianza del intelectual orgánico con el proletariado y anteponer la defensa de los intereses de éste a la de los propios intereses de casta.

En una sociedad totalmente planificada por la burocracia intelectual de funcionarios, militares, técnicos, profesores, etc. —burocracia incapaz de ponerse a sí misma en tela de juicio como, con mayor o menor sinceridad y fortuna, ha hecho el maoísmo en China—, la voz del intelectual que se desprende de su propia clase y asume la marginación hasta las últimas consecuencias es así la única idónea para plantear los problemas fundamentales creados por la nueva especie de alineación no prevista por Marx.

VI

El elemento primordial y más significativo de la revolución de mayo del 68 —y de su impacto en la agitación obrera y universitaria de otros países de sociedad pluralista avanzada— fue la irrupción de un conjunto de exigencias nuevas, cualitativamente distintas, de numerosos grupos y sectores marginados por el poder burgués y la estrategia electoralista de los partidos y sindicatos que lo combaten —reivindicaciones de los movimientos juveniles y de liberación de la mujer, minorías nacionales oprimidas, obreros emigrados, etc., que, desde entonces, *inventan y reclaman nuevos terrenos de desalienación*: libertad sexual, derecho a la subcultura *underground*, crítica del consumismo y de la consideración, cada día más aberrante, de la industria como agente máximo de la liberación del ser humano, defensa del hábitat natural, búsqueda de nuevas formas de trabajo creativo y no enajenado, promoción de los valores regionales víctimas del genocidio centralista. Todos estos y otros elementos heteróclitos e irreductibles al común denominador de la normatividad del sistema pluralista y la máquina administrativa centrípeta del Estado, actúan hoy como una poderosa fuerza centrífuga desde la periferia social, inaugurando canales de expresión fuera del circuito establecida, ya sea del que transmite dócilmente el mensaje de la ideología burguesa oficial, ya del que expresa la estrategia más o menos acomodaticia de los partidos de la oposición tolerada y se halla sometida en consecuencia a consideraciones de índole puramente electoral.

Las reivindicaciones de estas fuerzas centrífugas y liberadoras van más allá de las propuestas «razonables», pasaderas, que el poder burgués acepta discutir y a menudo aprueba tras un largo y difícil tira y afloja: aumento de salarios, mejora en las condiciones de trabajo, derechos de retiro obligatorio, pleno empleo, etc. Ponen en tela de juicio el principio mismo del trabajo alienado y la viabilidad del sistema. La nueva información promovida y reclamada por los grupos y corrientes de opinión que, con creciente eficacia disgregadora, irrumpen en la escena se esfuerzan en descubrir y aislar el común denominador de las diferentes marginalidades, no para operar la síntesis o someterlas a los consabidos criterios de normatividad, *sino para poner en claro y denunciar a partir de cada opresión particular y concreta los mecanismos que ocasionan la opresión del vecino, fomentando así una estrategia global de todos los oprimidos y marginados por cuestiones de clase, raza, sexo, nacionalidad, religión, edad, credo político, lengua, cultura. Asumir este común denominador es sentirse entonces, a la vez, obrero, negro, mujer, joven, emigrado, gitano, homosexual, drogadicto: miembro de la nueva internacional de los parias frente a la autoridad de burgueses, racistas, burócratas, sexistas, padres de familia.*

VII

Unas pocas líneas para concluir: como nos muestra el ejemplo de Francia —caso típico de la sociedad pluralista avanzada—, la inmensa mayoría de la prensa diaria —desde *L'Humanité* a *L'Aurore*, pasando por un periódico «serio» y «objetivo» como *Le Monde*[6]— deja siempre de lado al ser de carne y hueso, al individuo real y concreto, para dirigirse a entidades más o menos abstractas —el ciudadano, el pequeño burgués, el militante, el sindicalista— o, lo que es peor, se ocupa de él en exceso, diciéndole exactamente lo que debe pensar, adormeciéndole en su buena conciencia, privándole de toda iniciativa —colaborando así en la empresa de mutilación coti-

6. *Libération* es la única excepción honrosa: en sus páginas, los lectores (jóvenes, feministas, presos comunes, objetores de conciencia, emigrados, militantes bretones, corsos, vascos y occitanos, etc.) disponen y ejercen con saludable franqueza el derecho de la palabra.

diana que la televisión estatal ejerce sobre nuestras vidas.

La información revolucionaria será aquella que, evitando estos escollos y trampas, abrirá sus columnas a los presuntos informados: voces disidentes, marginadas, periféricas de quienes aspiran a que el indispensable cambio de orden político, social, económico y cultural se traduzca *en una liberación real de sus vidas.*

PROCESO A LA IZQUIERDA

(Apostillas a una lectura de Teodoro Petkoff)

I

Uno de los rasgos negativos más comunes a la izquierda revolucionaria —particularmente en los países de habla española— radica en su probada incapacidad de asimilar los análisis críticos que desde dentro o fuera de sus filas, descubren sus mitos, insuficiencias o errores o ponen en tela de juicio la presunta intangibilidad de sus leyes o, por mejor decir, de sus dogmas. Enfrentada al desafío de una obra conflictiva u opinión perturbadora, su respuesta se traduce por punto general en dos actitudes puramente defensivas y por ello mismo acríticas: el anatema inquisitorial o el silencio. Hoy día, cuando es posible examinar ya desde la izquierda —como, con mayor o menor fortuna lo hace el PCE— la realidad del «modelo socialista soviético» sin que el analista sea automáticamente tildado de fascista, reaccionario o agente del Pentágono, vemos repetirse el mismo fenómeno de ocultación y rechazo respecto a los nuevos «modelos» históricos: chino, albanés, vietnamita, cubano. En su búsqueda desesperada de un paradigma «duro y puro», numerosos políticos e intelectuales marxistas e incluso socialdemócratas ponen los ojos en Pekín o La Habana y decretan —con el mismo entusiasmo y candor que sus colegas de hace treinta años a su regreso de una URSS en pleno frenesí estalinista— que cuanto ocurre allí es «verdadero socialismo». Confundiendo los términos de antiimperialismo y socialismo, estos panegiristas apresurados no parecen haber caído en la cuenta de que el modelo ajeno que proponen a nuestra admiración tiene muy poco o nada que ver con el que propugnan en sus programas de puertas adentro. Simples razones de oportunismo —el deseo de revestirse con el prestigio de la epopeya de la Gran Marcha o la figura heroica de Che Guevara— no explican suficientemente el fenómeno. Como tampoco los conocidos mecanismos de compensación de quienes, aunque se proclaman revolucionarios, se integran de hecho en los circuitos de lucha propios del sistema democrático burgués.[1]

El mutismo de la prensa española y latinoamericana ante obras de la importancia de *Los guerrilleros en el poder* de K. S. Karol o *Diario de la Revolución cubana* de Carlos Franqui es un buen ejemplo de la postura traumática de autojustificación y condena que, de modo

1. El "consularismo", esto es, la necesidad y obligación de buscar un polo internacional (llámese Moscú, Pekín, La Habana, etc.) según el cual definirse y del cual decirse representante posee en muchos casos, como dice Teodoro Petkoff, todos los rasgos de la mentalidad colonial: "En la medida en que la izquierda asume, acrítica y apologéticamente su propio Vaticano, y también acrítica pero virulentamente el Vaticano rival", renuncia a su facultad de pensar y se convierte en una "agencia extranjera". Véase a este respecto la respuesta de los líderes de nuestra izquierda al cuestionario referente a la URSS, China, Cuba, etc., que figura en el libro de Fernando Ruiz y Joaquín Romero (eds.), *Los partidos marxistas. Sus dirigentes/Sus programas*, Ed. Anagrama, Barcelona, 1977.

perfectamente abusivo, convierte la crítica en agresión y, en lugar de estudiar la enfermedad diagnosticada, fulmina contra el diagnosticador. Mientras cualquier manual de divulgación marxista —siempre y cuando exprese una visión conformista y apologética del socialismo «real» o la estrategia adoptada por los partidos obreros para conquistar el poder— será objeto de numerosas reseñas y comentarios por parte de nuestros periódicos y semanarios de izquierda, por ínfimo que sea su nivel teórico, ante toda publicación que plantea seriamente un debate sobre la realidad del «socialismo» y la práctica revolucionaria en los países donde éste se ha impuesto, los diferentes órganos de nuestra izquierda oficial u oficiosa se encastillan en un prudente silencio que, a fuerza de repetirse, acaba por erigirse en sistema. Ahora bien, como escribía recientemente Althusser, «el silencio sobre el error es la persistencia posible o deliberada en el error. Cuando se calla de modo durable sobre él, ello quiere decir que continúa: que se calla *para* que continúe. En razón de las ventajas políticas que procura su duración».[2]

Estas reflexiones —en cuya adecuada formulación no puedo detenerme ahora— nos ayudan a comprender el silencio, a primera vista misterioso, que ha envuelto entre nosotros la aparición del libro de Teodoro Petkoff titulado, muy significativamente, *Proceso a la izquierda*.[3] Su autor, miembro del PC venezolano desde 1949, fue uno de los dirigentes más destacados de la lucha clandestina contra la dictadura de Pérez Jiménez y el go-

2. Prólogo a la obra de Dominique Lecourt, *Lyssenko, histoire réalle d'une science prolétarienne*, Editions Maspero, París, 1976.
3. *Proceso a la izquierda (o de la falsa conducta revolucionaria)*, Ed. Planeta, Barcelona, 1976.

bierno de Bettancourt. En 1970 se separó del PCV para fundar, en compañía de otros líderes de aquel partido como Pompeyo Márquez y Freddy Muñoz, el Movimiento al Socialismo que es sin duda alguna uno de los grupos políticos más vivos y dinámicos de la izquierda latinoamericana. Autor de obras como *Checoslovaquia: el socialismo como problema* y *Socialismo para Venezuela*, Petkoff es desde 1974 uno de los once diputados del MAS en el Congreso de su país.

Ante la desoladora perspectiva del fracaso de la lucha guerrillera, el golpe chileno y el creciente proceso de fascistación del mundo iberoamericano, Petkoff observa con razón que, si de un lado, la necesidad objetiva de una revolución es más fuerte que nunca, del otro, las fuerzas revolucionarias no han estado jamás tan alejadas como hoy de la posibilidad de cumplir con sus propósitos y formula la pregunta: «¿Cómo es, entonces, que tal conjunto de ideas —y la práctica que a él está asociada— no se hace evidente por sí mismo, no se impone por el propio peso de su generosidad y racionalidad? ¿Por qué los movimientos políticos de filiación socialista, la mayoría de los cuales se dicen marxistas —o más bien marxistas-leninistas— permanecen arrinconados en un estrecho ghetto, desconectados del pueblo en nombre del cual hablan y actúan, sin comunicación verdadera con aquellos que la jerga izquierdista designa como "las fuerzas motrices de la revolución"? ¿Por qué estos obreros y campesinos, que el lirismo izquierdista considera la sal de la tierra, miran con tal inocultable desconfianza, si no con hostilidad, a esa aristocracia intelectual que habla de una revolución incomprensible?». Encarado en la triste realidad de esas «microscópicas iglesias marxistas sostenidas por el amor de sus feligreses», de esa izquierda que a pesar de que «siempre tuvo razón» en sus previsiones, sigue siendo «la misma fuerza raquítica que continúa haciendo pronósticos desde un rincón de la sociedad», Petkoff aborda con gran lucidez e inteligencia el problema capital de «cómo restablecer los vínculos con la realidad, de cómo romper la camisa de fuerza de nuestra propia mitología, de cómo enfrentar el contexto dentro del cual actúa la izquierda tal como él es y no como quisieran sus deseos que fuera». Sus propuestas, energéticas, estimulantes, constituyen una contribución de primer orden al debate actual en torno a los conceptos de libertad y socialismo que opone al socialismo real de los distintos modelos históricos del marxismo-leninismo en el poder al llamado eurocomunismo. Dejando ahora de lado los análisis de Petkoff relativos a la específica realidad venezolana, centraremos nuestra atención en aquellos puntos del discurso que, a causa de su índole más general, se aplican o pueden aplicarse a la problemática de la izquierda marxista en el seno de nuestra frágil y aún vacilante democracia hispana.

II

Uno de los mayores obstáculos de la izquierda en el momento de formular su propuesta de una alternativa real al poder burgués en los países de sociedad industrial avanzada es la existencia de una imagen-espantajo de la misma, forjada y entretenida por el vasto conglomerado de fuerzas e intereses que, con uñas y dientes, defienden el *statu quo*. La burguesía utiliza, como es lógico, los inmensos potenciales a su alcance a fin de provocar reflejos de rechazo respecto a la idea de cambio, insistiendo en los aspectos más negativos del «modelo» soviético para hipostatizarlos a continuación al concepto mismo de socialismo. Purgas, procesos, campos, persecución de disidentes, asilos siquiátricos, etc., constituyen para ella un arma formidable en su propósito de desacreditar al adversario a ojos de quienes pudieran tener la tentación de escucharlo. La defensa de las llamadas «libertades formales» —empleo a propósito de terminología acuñada por los partidarios de un economismo a ultranza— se convierte así en el argumento de choque de la propaganda burguesa, argumento frente al cual un vasto sector de la izquierda autotitulada marxista adopta una postura, meramente defensiva y condicionada, de callar y cerrar filas, cuando no de negar en bloque su evidencia abrumadora e insoslayable. Existe todavía en efecto en el campo de la izquierda una fuerte resistencia a dejarse arrastrar a una polémica sobre este ingrato terreno, abandonándolo así a la explotación fácil y oportunista de sus enemigos. Peor aún: desmintiendo los principios de defensa y ampliación de las libertades burguesas que figuran en sus programas, algunos grupos e intelectuales marxistas no dudan en alzar a menudo la voz en favor de quienes, en nombre del «socialismo en el poder» persiguen y encarcelan a los que invocan aquéllos o ejercen su natural e irrenunciable derecho de manifestar su desacuerdo.

Esta actitud esquizofrénica —Dr. Jeckyll en casa, Mr. Hyde fuera de ella— traza la línea divisoria entre quienes conciben el socialismo en términos de respuesta de cambio real y los que se sirven de él como medio de desahogar sus frustraciones o, si se me permite el galicismo, su mala conciencia. Petkoff describe con gran acierto

54

la «falsa conducta revolucionaria» fundada en una idea del comportamiento revolucionario «que no corresponde a la realidad sino a lo que el revolucionario cree que es la realidad» y arremete con razón contra esa izquierda, dice, «tanto más amenazadora cuanto más insignificante», «distante y elitesca», «puritana que no pura» que, refugiándose en la fraseología ultrarradical, «termina por proponer una acción desoladoramente estéril y por jugar un papel muy cómodo para los sectores dominantes».[4]

Resulta en verdad paradógico y lamentable que, cuando los propios partidos comunistas ortodoxos de Europa Occidental juzgan con creciente severidad las aberraciones y crímenes del sistema represivo soviético, numerosos intelectuales de izquierda, situados fuera de dichos partidos, guarden un sospechoso silencio ante las violaciones de los derechos humanos más elementales o aplaudan incluso las medidas de coacción empleadas contra los disidentes. Dejando ahora de lado el extraño relativismo moral que ello implica, no cabe la menor duda de que actitudes de este tipo, al conformarse con el retrato-robot trazado por la propaganda adversa, juegan claramente a favor de los intereses de la burguesía. Las razones históricas de esa «falsa conducta» se remontan, como es obvio, al consabido argumento estalinista de acallar cualquier tentativa de discusión política y aún ideológica con el pretexto de «no procurar armas al enemigo». Así, como señala Petkoff, «la defensa y justificación del autocratismo en los países socialistas (sic) ha

4. Recuerdo el comentario de una dama de la alta burguesía barcelonesa de opiniones ultra-radicales tras el discurso televisado de Suárez con ocasión del referéndum del pasado mes de diciembre: "Al escucharle hablar de democracia y elecciones llegué a echar de menos a Franco. Al menos, con él, las cosas estaban bien claras".

conducido a la asimilación del autocratismo como un supuesto rasgo propio de la condición revolucionaria». Pero en la medida en que los partidos comunistas han renunciado al dogma de la dictadura del proletariado y acomodan su estrategia de lucha al marco de las instituciones de la democracia burguesa, dicha realidad aparece demasiado estridente y tiende a avalar las acusaciones de la derecha acerca del doble juego o, si se quiere, la dulce piel de cordero con que, de cara a la obtención del poder, se adorna la izquierda marxista.

El derecho al desacuerdo, las libertades de prensa, publicación, reunión, etc., figuran hoy en la casi totalidad de los programas de los partidos de izquierdas en el amplio espectro del panorama político español. No obstante, la conducta de muchos teóricos y escritores marxistas contradice con frecuencia dichos postulados y refuerza las denuncias de hipocresía lanzadas desde el campo reaccionario. Hace algunos años, por ejemplo, al producirse la detención de Heberto Padilla, numerosos intelectuales españoles que combatían valientemente contra la censura franquista, en lugar de denunciar, como dice Petkoff, «esa paranoia ridícula que ve en cualquier poeta inconforme una amenaza para el sistema y un agente de la CIA», aplaudieron las medidas coercitivas empleadas contra el escritor por las autoridades cubanas, desmintiendo así, en la realidad de los hechos, su propuesta de una sociedad pluralista, de un socialismo libre y democrático. Pero lo ocurrido con motivo de la desdichada intervención de Soljenitsin del pasado año es todavía más lastimoso. Para un observador imparcial, el espectáculo del escritor ruso —justamente traumatizado de por vida tras su experiencia del universo soviético— dirigiéndose a un pueblo recién escapado a su vez del trauma de la guerra civil y de la interminable pesadilla de un régimen como el de Franco, resultaba a la vez trágico y grotesco: algo así como un leproso que intentara convencer a un grupo de apestados de la benignidad o inexistencia de su enfermedad. Pero en vez de situar este diálogo imposible en su verdadero contexto, la reacción de la izquierda fue, salvo raras excepciones, airada y temperamental, de acuerdo con los falsos patrones de la falsa conducta revolucionaria. La lectura de los editoriales y artículos de nuestros recién liberados periódicos no pudo ser más desconsoladora: quienes habían sufrido en su carne y espíritu las heridas de la represión franquista, no sólo justificaban la actitud de las autoridades soviéticas contra el escritor, sino que pedían poco menos que se le impusiera silencio. La índole reaccionaria del pensamiento de Soljenitsin no era sino un pretexto utilizado para escamotear el problema esencial, esto es, si el escritor tenía derecho o no de denunciar los atropellos y abusos del sistema soviético y si dicha posición merecía ser reprimida. De la lectura de nuestros periodistas y escritores de izquierda, el lector español no podía menos de concluir que, en cierta contradicción con sus programas, la izquierda respondía de modo negativo a la primera cuestión y afirmativamente a la segunda. La teoría derechista del «disfraz» salía así fortalecida y la sinceridad democrática de los partidos marxistas perdía credibilidad.

Dicha contradicción no se resolverá sino el día en que la izquierda asuma la iniciativa de denunciar los errores y crímenes realizados en nombre del socialismo, privando así a la derecha de uno de sus argumentos más eficaces y contundentes. La defensa de los disidentes soviéticos y de Alemania del Este, del Comité de intelectuales polacos contra la represión, de los firmantes de la Carta 77, etc., debería ser patrimonio de la izquierda y no de la burguesía. Al tomar conciencia de ello, las fuerzas que aspiran a una revolución política y social no deben obedecer a meras razones de táctica y oportunismo: como dice muy bien Petkoff, el problema no consiste en «suavizar» el socialismo para que «no asuste» (es triste comprobar que, al cabo de un siglo de existencia, el proyecto generoso de Marx sigue asustando aún, no ya a la burguesía, sino a las clases medias, intelectuales, campesinos e incluso a un gran sector del proletariado) sino en algo mucho más importante —la conciencia clara de que el socialismo es orgánicamente indisociable de la libertad y de la democracia; es decir, *de que el socialismo es democrático o no es socialismo.*

III

A raíz de la continua ola de procesos de intelectuales disidentes en la URSS y, sobre todo, de la intervención militar de Brejnev en Checoslovaquia, los partidos comunistas occidentales han manifestado con creciente audacia su disconformidad con los excesos policíacos y violaciones de la «legalidad socialista» de sus homónimos del bloque soviético, insistiendo en el hecho de que la alternativa política que postulan no se inspira en dicho modelo, pero no han empezado a plantearse sino en fecha muy reciente, por boca del secretario general del PCE Santiago Carrillo, las preguntas verdaderamente esenciales respecto al carácter real de las llamadas democracias populares del Este —preguntas que el ex dirigente del

PC checoslovaco Jiri Pelikan resumía de esta manera: ¿Se trata de sociedades auténticamente socialistas? ¿Pueden existir estos regímenes sin la censura, sin la represión y sin el monopolio absoluto del poder?

Los mitos tienen la piel muy dura, y el de la creencia en la pureza y bondad esenciales de la URSS «por encima o más allá de sus faltas y extravíos es —como observó en una ocasión Octavio Paz— una superstición difícilmente erradicable». La abrumadora masa de testimonios sobre el genocidio estalinista y la persistencia de los procesos, la censura, los campos, las autocríticas, los asilos siquiátricos no conmueven la fe del carbonero de numerosos intelectuales de Europa y América Latina para quienes, según declarara Julio Cortázar en una memorable entrevista a *El País*, existe una diferencia esencial entre los errores e incluso los crímenes que se pueden producir dentro de un concepto socialista y los errores y los crímenes equivalentes que se pueden producir en un contexto capitalista o imperialista».[5] La antigua distinción teológica entre *sustancia* y *accidente*, como nos recuerda Paz, opera en los creyentes de nuestro siglo con la misma eficacia que en la Edad Media: para los nuevos creyentes el modelo soviético es *sustancialmente* bueno, pese a los errores *accidentales* en que ha incurrido y, provisionalmente, todavía incurre. Pero dejemos la palabra a Julio Cortázar en la mencionada entrevista: «Yo tengo la impresión de que la Unión Soviética está pasando por una *etapa* (los subrayados son nuestros), por una *fase* en donde hay elementos negativos graves, pero la diferencia esencial es que yo veo que, dado el contexto, es decir, el fondo, el fondo ideológico, la *finalidad* de un

5. Entrevista con José Miguel Ullán, *El País Semanal*, 10-4-1977.

régimen como el de la Unión Soviética, yo llamaría a esta fase negativa lo que los franceses llaman *incident de parcours*, es decir, un *momento* en una evolución histórica, *momento* en el que se cometen equivocaciones, porque la gente que está a la cabeza del equipo dirigente no está a la altura de lo que correspondería dentro de la evolución socialista de la Unión Soviética». El gulag, las purgas, el poder omnímodo de la burocracia son así, para el escritor argentino, «accidentes de ruta, momentos negativos en un avance que responde a una idea, la idea socialista, la idea marxista, es decir, la idea liberadora, hacia un estado social del presente y sobre todo del futuro».

Sobreponiéndose del asombro que tan extraordinaria lectura provoca, el lector —cuando menos aquel que no forma parte de la congregación de los creyentes— se maravillará sin duda, como me maravillo yo, de que esas fases, etapas, momentos, *incidents de parcours*, puedan prolongarse durante decenios y decenios sin perder nunca su índole puramente *accidental*. Pero la diferencia trazada por el novelista entre los millones de víctimas del gulag —entre las que figuran, no lo olvidemos, las vanguardias revolucionarias de la URSS y otros países ocupados por ella— y el genocidio de la Junta chilena o la feroz represión del gobierno militar de Argentina es todavía más sobrecogedora. ¿Los ejecutados, torturados, perseguidos en nombre del «socialismo» son sustancialmente distintos de las víctimas de la triple A y del pinochetazo? ¿Hay torturas y torturas, cadáveres y cadáveres? El pensamiento marxista ¿implica una concepción global del ser humano o se define tan sólo a nivel de fines políticos y de instituciones? La postura de Cortázar, como la de Corvalán después de su canje con Bukovski, se inclina, lamentablemente, hacia la segunda hipótesis. Pero es alentador comprobar que, incluso en un partido en donde la tradición estalinista sigue pesando tan fuerte como el PC francés, la primera concepción gana paulatinamente terreno, como nos muestra su participación reciente en un acto conjunto en favor de las víctimas *de* Pinochet y *de* Brejnev. La contradicción insoluble en que incurría la socialdemocracia, cuando preconizaba una política de progreso social en Francia e Inglaterra, pero mantenía a los pueblos africanos y asiáticos bajo el bárbaro yugo colonial, partía igualmente del abandono de los principios humanistas que inspiraron la acción de los fundadores del socialismo en favor de una concepción mezquina y fragmentaria de éste, en términos de instituciones y leyes aplicables solamente a un determinado sector de la población mundial. La exclusión de las masas explotadas del Tercer Mundo de los programas de bienestar y justicia de la socialdemocracia no debe repetirse hoy —respecto a los países en donde teóricamente existe la dictadura del proletariado— en el seno del movimiento comunista con el argumento falaz de la independencia de los partidos y el derecho de cada uno de éstos a seguir su propio sendero. Aceptar dicha compartimentación —no hablo aquí, claro está, de las lógicas diferencias que existen entre los distintos países y su diverso grado de desarrollo político y social— contradice la universalidad de la aspiración revolucionaria captada y expresada por Marx. No hay ni puede haber diferencias esenciales entre las aspiraciones de la clase obrera española, francesa o italiana y la soviética, polaca o checoslovaca. Lo que es bueno y deseable para unas debe serlo igualmente para otras. No hay un socialismo óptimo, desarrollado y maduro para nosotros y otro miserable, raquítico, embrutecedor para ellos. La libertad, el progreso, la democracia son nociones indivisibles y válidas a escala mundial o se convierten en una gigantesca mistificación.

La burguesía y las fuerzas reaccionarias son los primeros interesados en perpetuar la impostura de que el sistema que hoy impera en Moscú, Praga, Varsovia, etc., *es* el socialismo y alejar así de éste a las masas y grupos que aspiran a una mayor libertad y justicia social. Pero los partidos y formaciones marxistas no deben caer en la trampa y corroborar con su doble patrón de conducta la propaganda contrarrevolucionaria. Abandonar la perspectiva unitaria y universal de las aspiraciones humanas equivale a caer en una concepción restrictiva, meramente formal del marxismo, aceptar las consideraciones pragmáticas del lenguaje cínico «de los hechos» o, como nos muestra el ejemplo de Cortázar, transformar los postulados del socialismo en artículos de fe, tanto más alejados de la dialéctica marxista cuanto más próximos de la nueva teología elaborada conforme a la interpretación de alguno de los múltiples y contradictorios vicarios de Lenin y de Marx.

Acabar con el distingo escolástico de sustancia y accidente, analizar la realidad de la presunta práctica socialista en Moscú, Pekín, La Habana, etc., se convierte en una necesidad insoslayable del pensamiento marxista, enfrentado hoy como ayer, al duro, angustioso dilema de ser, «crítico y revolucionario» o bien de «glorificar la realidad existente». El ya clásico análisis del fenómeno de concentración del poder económico capitalista en unas pocas manos —el gobierno de los monopolios y trusts, y la vocación imperialista a ellos inherente— debería completarse con el de otro fenómeno desconocido en tiempos de Marx, el de la concentración creciente, y al parecer irresistible, del poder político en un puñado de funcionarios del partido en todos aquellos países en donde —en términos puramente teóricos— se ejerce la dictadura del proletariado, fenómeno que confiere en muchos casos al secretario general del PC la autoridad y privilegios de un dictador absoluto, vitalicio. La reciente destitución de Podgorny y la acumulación de todos los poderes en manos de Brejnez es una nueva ilustración de este mecanismo omnívoro, proliferante que de Moscú a Pekín, de Piong-Yang a La Habana reviste caracteres casi dinásticos. La inamovilidad de los líderes, el secreto que envuelve la actuación de las camarillas en el poder y su carácter supuestamente intangible son aceptados todavía por muchos como rasgos perfectamente naturales en virtud del distingo escolástico al que se refiere Paz. La dialéctica crítica y revolucionaria se aplica tan sólo al análisis de los fenómenos del mundo capitalista mientras que la glorificación y embellecimiento de lo existente en los «modelos» revolucionarios en el poder transfigure a aquélla, como denuncia Althusser, en un simple repertorio de «leyes» y dogmas para uso interno de miembros y catecúmenos de las nuevas comunidades de fieles. Otra vez el nosotros y ellos, el doble patrón de conducta, la esquizofrenia del *split mind*.

La aplicación de la dialéctica marxista al análisis de los modelos existentes de «socialismo en el poder» es un fenómeno relativamente reciente, cuando menos en el mundo de habla castellana. Pero «el totalitarismo estatal, la despolitización de la población, la estricta censura política y cultural, el dualismo entre dirigentes y dirigidos, el endiosamiento de aquéllos, la absoluta falta de control del pueblo sobre "su" gobierno, la ausencia de casi toda forma de autogobierno, el reforzamiento de la estructura del Estado», etc., que señala Petkoff es y será cada vez más difícil de enmascarar. Los penetrantes análisis de Fernando Claudín han abierto el camino entre nosotros, a una serie de planteamientos que, en lugar de aceptar la glorificación de lo establecido, rechazan el distingo teológico entre sustancia y accidente y analizan críticamente los procesos de burocratización y cosificación que en el orbe soviético suscitan la aparición de nuevas y más sutiles formas de explotación del hombre por el hombre.

La lectura de *Proceso a la izquierda* es a este respecto sumamente esclarecedora. Al estudiar el modelo soviético, Petkoff concluye, como Claudín, *en la inexistencia no sólo de una sociedad socialista sino de un proceso de evolución hacia ella*: «La transferencia de poder económico de los capitalistas al Estado cambia, ciertamente, las formas de propiedad, y efectivamente crea, desde el punto de vista jurídico, una nueva situación en el país. Pero si se limita el cambio a esta transformación, ello no implica forzosamente que las relaciones de producción hayan adquirido una naturaleza socialista (...) La capacidad de decidir qué va a pasar, cómo se va a distribuir la riqueza creada por el país, en qué se va a invertir, en qué se va a transformar, determina en dónde reside realmente el poder; si en la población trabajadora o en un equipo burocrático que habla y actúa en su nombre». Para cualquier observador sin anteojeras de la realidad soviética, resulta cada día más claro que la superchería que denunciara Marx respecto a la burguesía, se repite allí corregida y aumentada: «el gobierno no escucha más que su *propia voz*, y pese a ello mantiene este autoengaño, como si escuchara la voz del pueblo, y exige también que se respalde este autoengaño». Sostener en 1977 el carácter esencialmente socialista de la URSS y los países del bloque soviético, pese a sus errores y crímenes accidentales, es encerrarse en una contradicción sin salida, es aceptar un doble código de moralidad, es favorecer las acusaciones de hipocresía y oportunismo de las fuerzas burguesas y reaccionarias respecto al eurocomunismo, es adoptar en fin esa falsa conducta revolucionaria que sustituye la crítica por la apologética y amnistía los crímenes y aberraciones de un sistema opresivo en nombre de sus presuntas «finalidades últimas». Sólo la denuncia de la realidad no socialista del sistema soviético puede liberar al marxismo de la pesadilla diaria del nosotros y ellos, de su bifronte condición de Jano. Para ello basta asumir, con Petkoff, que el «Estado socialista no puede ni debe ser un aparataje distante de la población, ni debe producir el dualismo que en esta materia existe en las sociedades capitalistas, y menos aún aumentarlo. Esta situación dual, que permite a la minoría de jefes políticos manipular la conciencia de millones de personas, de pensar y decidir "en nombre" de ellas, pero, en verdad, "en lugar" de ellas, es completamente ajena al socialismo».

IV

El abandono del dogma de la dictadura del proletariado por los dirigentes y teorizadores del eurocomunismo parece haber sido más bien fruto de una estrategia política, en sí justa y válida, que resultado de un análisis profundo de dicho concepto a raíz de la transmutación operada por el estalinismo. Dejando de lado el tema de su «necesidad histórica» —habría que preguntarse, como lo hace Petkoff, por qué si la burguesía puede ejercer su gobierno de clase sin recurrir a formas abiertamente dictatoriales se debe descartar *ab initio* dicha posibilidad en el caso de una sociedad revolucionaria—, el problema fundamental que hoy se nos plantea es analizar por qué y cómo la dictadura del proletariado se ha transformado en realidad, sin excepción, en la dictadura *sobre* el proletariado en virtud de esa cadena de sustituciones mágicas que, como agudamente previó Rosa Luxemburgo, convierten la dictadura de la clase obrera en la dictadura del partido, la dictadura del partido en la de su comité central y la de este último en la dictadura de su secretario general y una pequeña camarilla.

Al examinar este mecanismo sustitutivo, Petkoff apunta con razón al fenómeno de identificación existente entre los términos de partido y proletariado —unión hipostática que suprime una serie de mediaciones e instancias autónomas existentes entre ambos para exhibir el primero como una especie de sublimación del segundo. La pretensión de todos y cada uno de los partidos que se autoproclaman «intérpretes» de la clase obrera se funda en la premisa ficticia de que su línea teórica es un simple reflejo del pensamiento colectivo de aquélla, sin distinguir en ella qué parte viene de la clase obrera y qué parte es producto del «laboratorio de ideas» del propio partido. La noción de «partido intérprete» sacraliza inevitablemente sus posiciones y conduce al dogmatismo e intolerancia que por desgracia empañan la trayectoria de los regímenes marxista-leninistas en el poder. Como dice Petkoff, el pensamiento del partido, «envuelto por lo general en un halo místico, es presentado como pensamiento de la clase obrera y cobrando vida propia, comienza a operar como gran referencia para medir la "ortodoxia" y la "heterodoxia". Más de un anatema ha sido lanzado contra supuestos enemigos de la clase obrera que no son sino adversarios del partido. Pero la fuerza del anatema deriva del fetiche en nombre del cual es emitido [...] tiene lugar, pues, un "misterio" semejante al de las tres Divinas Personas; los límites entre el partido y la clase obrera van siendo diluidos por vía puramente ideológica y de pronto nos encontramos con que ambas categorías son intercambiables. La dictadura del proletariado es la dictadura del partido; la dictadura del partido es la dictadura del proletariado».

En la reciente polémica iniciada por el ataque de la revista soviética *Tiempos nuevos* contra las concepciones «heréticas» de Santiago Carrillo, el secretario general del partido comunista ha insistido, con razón, en el hecho de que Moscú ha dejado de ser la Roma del comunismo, esto es, la iglesia que detenta el monopolio de la verdad, traza la frontera de la ortodoxia y puede fulminar anatemas contra cualquier desviación de su línea. Pero dicha comprobación empírica —y el consiguiente rechazo de unos métodos de condena dignos del Santo Oficio— no ha sido acompañada de un examen profundo de las razones y mecanismos que han permitido, y aún permiten, la eclesiastización de los partidos marxistas. Dichos exámenes existen, pero han sido realizados desde fuera de las filas de los propios partidos, con lo que su incidencia en la práctica interna de éstos ha sido hasta ahora bastante reducida.

Antes de examinar los planteamientos de Petkoff, me permitiré referirme a las reflexiones sobre el tema de uno de nuestros disidentes religiosos más célebres, el expatriado José María Blanco White, reflexiones que figuran en sus obras, escritas en inglés y no traducidas enteramente al castellano, *Second travel of an Irish gentleman in a search of a religión* y *Observations on heresy and orthodoxy*. Las consideraciones de Blanco sobre las iglesias de su tiempo se adaptan en verdad como anillo al dedo al fenómeno en que nos ocupamos y demuestran la perdurabilidad de ciertos fenómenos y mecanismos defensivos con independencia de las circunstancias y razones que los suscitaron. Las nociones de iglesia, ortodoxia, heterodoxia se hallan estrechamente vinculadas, como sugiere Blanco, a la concepción paulina —hoy la llamaríamos estalinista— del partido, político o religioso, como una secta con su lenguaje, sus mitos, su liturgia, sus sacerdotes, sus pontífices, sus bueyes procesionales. A partir del momento en que la ortodoxia es un título de poder, observa, «está condenada a actuar sobre la mente humana como cualquier instrumento de ambición. Desde que es el vínculo que une bajo su guía vastas corporaciones humanas, y la heterodoxia o herejía suscita agrupaciones contrapuestas bajo gobernantes que se convierten así en rivales peligrosos de los ortodoxos, dichos principios de unión y oposición actúan necesariamente como patriotismos rivales y opuestos [...] Desde los primeros tiempos de la Iglesia, uno de los expedientes favoritos de los ortodoxos —esto es, *de la facción que, por el momento se siente bastante fuerte para pretender superioridad*— ha consistido en marcar a cada adversario con el nombre de alguna secta previamente derrotada. De este modo, la idea de un error que se supone conocido y condenado por el asenso común, la noción de alguna extravagancia anticuada, quizás de algún hecho criminal atribuido a aquellos señalados por el odioso nombre se pega en seguida a la persona que expresa alguna opinión molesta o se atreve a proponer algún método de investigación que el partido establecido o cómodamente asentado sospecha que podrá volverse contra él». La caracterización eclesiástica de la presunta línea ideológica mantenida por la URSS respecto a las herejías sucesivas de Trotski, Bujarin, Tito, Mao, Carrillo, etc., es lamentablemente exacta e ilumina con crudeza la degeneración de los partidos inspirados en el modelo estalinista, convertidos por obra y gracia de la sacralización de sus reglas, en verdaderas sectas religiosas, que encuentran en el culto a sus estatutos y a su estructura interna el fundamento y razón de su supervivencia. Los principios leninistas de organización asumen entonces una naturaleza mística e intemporal, y el partido, dotado del temible privilegio de Midas, ordena conforme a su modelo, con carácter perpetuo, la totalidad de la sociedad. El ahogo y petrificación dogmáticos que ello implica habían sido descritos ya *avant la lettre* por el propio Blanco: «La mayoría de los regímenes políticos responsables de la terrible crisis de nuestro tiempo [...] tienen su origen en las nociones de iglesia que regularon exclusivamente el cuerpo de Europa durante muchos siglos y entraron a formar parte de todas sus partículas. Todo dependía de la teología: incluso si se trataba de temas científicos, los teólogos eran jueces.[6] De ahí la circunstancia de que todos los principios y sistemas fuesen creados *a perpetuidad*, incluso en lo que respecta a los pormenores más nimios».

Para la casi totalidad de los partidos leninistas —marcados todavía por resabios y reflejos condicionados del

6. El caso de Lyssenko estudiado por Dominique Lecourt es un buen ejemplo de la nueva teología marxista.

largo período de su culto a Stalin—, el partido, en vez de ser el instrumento o vehículo del cambio revolucionario, es un fin en sí: una organización de funcionamiento vertical y compartimentos estancos, cuya estructura rígida se explica y justifica gracias al carácter sacro del llamado «centralismo democrático». En el actual proceso de deseclesiastización de los partidos eurocomunistas, la tarea emprendida por algunos de sus líderes e ideólogos tropieza como es lógico con fuertes resistencias, resultado de la lucha entre quienes se esfuerzan en inventar el futuro y quienes siguen prisioneros de los mitos y supersticiones del pasado. Así, mientras la liquidación del dogma de la dictadura del proletariado constituye una clara victoria de los primeros, el mantenimiento del «centralismo democrático» representa una concesión, provisional quizás, a las exigencias de los últimos. Pero dado el contexto plural en el que se inscribe la lucha de los partidos eurocomunistas, esta supervivencia es totalmente anacrónica y resultará cada día más difícil de mantener. Los eurocomunistas parecen haber comprendido al fin la necesidad de volver a la concepción marxiana —brillantemente reivindicada por Gramsci— de un socialismo orgánicamente ligado a los conceptos de libertad y democracia que, en lugar de negar las conquistas del régimen burgués, las profundiza y amplía. Pero su práctica interna —su apego fetichista al «centralismo democrático»— contradice a diario sus buenos propósitos y atenta gravemente a su credibilidad. Sus simpatizantes, y en general los amplios sectores de la población a los que se dirigen, tienen el derecho de preguntarles en virtud de qué distingo inteligible la democratización que propugnan fuera no la practican en su propia casa. La justificación invocada por el PCE en su larga y abnegada lucha contra el franquismo —la necesidad de apretar las filas en un contexto de resistencia ilegal— no tiene ya validez. Si el eurocomunismo y en general los partidos políticos revolucionarios que actúan dentro del marco trazado por la democracia burguesa, aspiran a convencer a unas masas, cada día más educadas y lúcidas, de la verdad y viabilidad de sus programas deben desprenderse de una vez de su doble patrón de conducta. Como dice Petkoff al abordar el punto que ahora tocamos, cuando define la necesidad de una democracia real en el interior de su propio partido, «el movimiento debe estar en condiciones de ofrecer un contenido y una imagen democráticos que, en cierto modo, *prefiguren el modelo de sociedad que proponemos. Mal puede inspirar confianza en las perspectivas democráticas de la sociedad socialista un movimiento socialista que es incapaz de promover el ejercicio democrático en su seno».*

Los partidos comunistas —incluyo en ellos no sólo a los reconocidos oficialmente por sus pares, sino también a los disidentes y «heterodoxos»— han abandonado en verdad en los últimos años los hábitos más negativos y escandalosos del estalinismo: exclusiones, anatemas, destrucción simbólica —quema en efigie— de los desviacionistas. Pero, en grado mayor o menor, las relaciones puramente verticales entre los miembros del grupo —jerarquización que impide de hecho el debate interno y la libre circulación de ideas— siguen gozando de un estatuto privilegiado, intangible. «Si el militante es un ser aislado dentro de la campana neumática de su organización de base, incomunicado del resto del partido, y por tanto indefenso ante los designios de las instancias superiores, escribe Petkoff, su posibilidad de participar en la elaboración de la política, en el control de ella y en la toma de decisiones es prácticamente nula.» Dicho planteamiento nos remite a la célebre polémica que opuso Rosa Luxemburgo a Lenin, cuando la gran revolucionaria alemana apuntaba de modo profético a las peligrosísimas consecuencias de un principio de organización interna que conducía derechamente a los excesos del burocratismo. Gústenos o no, la realidad nos muestra que el llamado centralismo democrático, tiene muy poco de democrático y mucho de centralismo —si por ello entendemos la existencia de un grupo dirigente que actúa y se considera a sí mismo «como el ombligo del mundo». La concentración del poder de decisión, la irresponsabilidad de los líderes ante la base, el juego de las camarillas, etc., embeben aún la práctica de los partidos revolucionarios de Occidente, pese a los loables esfuerzos de algunos de ellos por adaptar la fraseología de los hechos y poner fin a la gangrena del autoritarismo. Petkoff denuncia con razón estos falsos ambientes de «unanimidad» y «monolitismo» que, según el paradigma soviético, convierten las reuniones y asambleas populares en verdaderas ceremonias litúrgicas. La espontaneidad de las masas es sustituida entonces por un ritual religioso, cuyo efecto alienador está a la vista de todos. El formidable poder del aparato sobre el militante origina, como señala Petkoff, «una atmósfera de intolerancia política que insensiblemente va conformando militantes para quienes la cacería de brujas y los dramas inquisitoriales resultan completamente normales y justificables», lo que le lleva a concluir —y éste es el problema básico al que hoy se enfrentan los movimientos revolucionarios de Occidente— que dicha práctica «encierra no pocos interrogantes acerca del poder político que podría surgir de tales concepciones y de tales modelos institucionales».

72

V

La credibilidad de la alternativa socialista —en particular en el ámbito de los países de democracia parlamentaria— exige un análisis profundo de los diferentes «modelos» del presunto socialismo en el poder a fin de evitar en lo futuro los errores y abusos que han transformado los regímenes autotitulados marxista-leninistas en las sociedades autoritarias y opresivas que hoy conocemos. Las críticas de Santiago Carrillo a la realidad soviética —pese a sus límites, escamoteos y ambigüedades— constituyen —en razón del cargo oficial que desempeña— un primer paso alentador en dicho terreno. El consabido argumento de «ocupémonos en lo que aquí ocurre en vez de meter las narices en Moscú, Pekín o La Habana» es la última versión de aquella forma especiosa de razonar según la cual toda crítica de la URSS y el «socialismo real» proporciona armas al adversario. En la lucha implacable entre socialismo e imperialismo, se nos dice, no podemos permitirnos el lujo de la autocrítica: acabemos primero con el monstruo imperialista y ya tendremos luego ocasión de analizar nuestros propios errores y faltas. Pero los que así razonan olvidan que para vencer al monstruo imperialista es indispensable ante todo clarificar y hacer plausible la alternativa que los partidos revolucionarios postulan. Invocar el cerco capitalista de la URSS, la presencia del enemigo a noventa millas, etc., es el método infalible de prevenir cualquier tentativa de debate y aplazarlo a un período futuro que se aleja de nosotros, como un fenómeno de espejismo. Si ello pudo ser excusable en determinados momentos de peligro real —la URSS asediada e invadida en 1918-22, la Cuba agredida en Playa Girón— su prolongación durante cuarenta años es a todas luces injustificable y absurda.

Al tocar el tema, Petkoff apunta con razón al hecho de que ha sido una de las causas primordiales de la esterilización del pensamiento marxista: «A fuerza de negarse al análisis concreto de las sociedades socialistas concretas, so capa de no proporcionar armas al adversario [...] el marxismo oficial ha dejado, entre otras cosas, de ser marxismo, para devenir en un catálogo de vulgarizaciones, por un lado, y de justificaciones semirreligiosas de la realidad de los países socialistas por el otro [...] Precisamente por "no hacerle el juego al adversario" se han petrificado las costumbres antidemocráticas en el campo socialista y se han olvidado las exigencias de una democracia socialista. "No hacer el juego al adversario" ha sido la coartada perfecta para el monolitismo, para el monopolio político de un solo grupo, para la regimentación de la vida política y cultural [...], para que la construcción de la nueva sociedad siga siendo obra paternalista de una minoría esclarecida que la otorga a una masa sumisa y agradecida».

Ignorar u ocultar las faltas y crímenes del pasado es condenarse a repetirlos en el futuro. La actitud cómoda, puramente defensiva de las castas burocráticas en el poder explica que cada nueva generación de revolucionarios incurra en las mismas equivocaciones y caiga en idénticas trampas que las generaciones que les precedieron. Los partidos comunistas de Europa Occidental —cuando menos el PCE— han comprendido al fin la necesidad de analizar la degeneración del proyecto socialista en la URSS y países controlados por ella, pero no han procedido aún, con honestidad y rigor, a la revisión de su propia conducta pasada, esto es, al establecimiento de las responsabilidades en el seno de la dirección y la rehabilitación de las víctimas del sectarismo. Una encuesta oficial sobre episodios tan poco gloriosos como la desaparición de Nin, el anatema a los sospechosos de herejía titista, la condena de Comorera, la exclusión de Claudín y Federico Sánchez, sería la mejor prueba del cambio operado en sus filas y la garantía de que semejantes hechos no se repetirán.

El libro de Teodoro Petkoff —como el recientemente publicado por Claudín— contribuyen a despejar el camino hacia un socialismo libre y democrático, gracias a una labor de reflexión que, incidiendo en la práctica política concreta, sienta las bases de una conducta auténticamente revolucionaria susceptible de sortear los escollos contra los que se estrella la actual alternativa socialista. Sin este autoanálisis, sin este proceso de clarificación, los movimientos políticos que se inspiran en el cuerpo de ideas de Marx están condenados a una fraseología constantemente desmentida por los hechos, y lo que es peor, a caminar a remolque de éstos, con la consiguiente pérdida de prestigio que ello acarrea y su inevitable alejamiento de cualquier esperanza de cambio revolucionario real.

VI

Unas breves consideraciones para terminar: comentando la perspectiva exclusivamente «obrerista» de los movimientos marxista-leninistas implantados sobre todo en los núcleos estudiantiles y universitarios, Petkoff señala con acierto uno de sus fallos más importantes —esa concepción esquemática y abusiva en términos de obreros y fábricas, concepción que, fundada en una mitificación de la clase obrera, deja de lado o rechaza la problemática de todos los demás sectores sin cuya participación el tránsito de aquélla a un socialismo no autoritario resulta imposible. Cuestiones fundamentales como derechos ciudadanos, libertades individuales, posibilidades de creación en el ámbito del socialismo son relegados al desván de los trastos viejos: elucubraciones de intelectual burgués amenazado, dicen, por la toma de conciencia del proletariado. Según estos grupos —ciegos y sordos a la experiencia de lo sucedido en la URSS, en donde la negación de tales derechos ha permitido *precisamente* la instauración de un nuevo sistema represivo sobre el proletariado—, la totalidad de la vida social se reduce a un problema de explotación económica. La enorme complejidad de aquélla, escribe Petkoff, es escamoteada para calar directamente en su *esencia*, desdeñando así, como «hojarasca inútil que únicamente contribuye a velar la verdad de las cosas, la consideración de las manifestaciones concretas a través de las cuales aquella esencia adquiere corporeidad ante la gente [...] Revísese cualquier programa de un grupo de izquierda y se encontrará como la visión *global* de la sociedad es sustituida por una de sus partes, el funcionamiento económico». Dicho determinismo económico y su inevitable secuela —juzgar la superestructura ideológica como mero reflejo del sistema de producción— no sólo empobrece y falsea las tesis de Marx sino que impide captar, dice Petkoff, «lo que con palabras engelsianas podría denominarse el juego de acciones y reacciones entre los distintos componentes de la vida social», razón por la que se revela impotente para comprender «las manifestaciones de relativa autonomía que cada uno de estos componentes posee con respecto a los demás».

La observación es importante y, desdichadamente, no se aplica tan sólo a la realidad venezolana: basta dar una ojeada a los programas de los partidos políticos de izquierda de la flamante democracia española para advertir en seguida que, fuera del campo político y económico más inmediatos, sus propuestas son increíblemente vagas e inconsistentes. Las exigencias que plantean —plena recuperación de los derechos políticos y sindicales, reformas de salarios, reforma fiscal, mayor equidad en la distribución de los bienes, etc.— son sin duda alguna necesarias y justas; pero se sitúan por punto general en el marco tradicional del «esencialismo económico», sin analizar seriamente los demás integrantes de nuestra complejísima vida social. Su propaganda no se dirige a individuos de carne y hueso sino a entidades más o menos abstractas como el «militante», el «ciudadano», el «elector», el «sindicalista», etc.; opera en la esfera necesariamente reductiva del *homo economicus,* cuyos derechos comienzan, pero no terminan, por el derecho de comer. La estrategia de los partidos de izquierda y extrema izquierda apunta exclusivamente a la conquista del poder — panacea que resolverá milagrosamente todos los problemas «secundarios»: nuevo *status* de la mujer; liberación de la esclavitud del trabajo; proyecto de una sociedad plural, exenta de mecanismos autoritarios; libertad de creación que a su vez asegure una amplia creación de libertad. Pero la práctica y experiencia reales de los diferentes «modelos» revolucionarios en el poder desmienten semejantes pretensiones. Tales problemas no sólo no han sido resueltos, sino que parecen haberse agravado tras el triunfo del «socialismo real».

Los programas de nuestros partidos políticos no toman en consideración las aspiraciones de los seres humanos reales y concretos, *para quienes lo que verdaderamente cuenta no es la toma del poder sino el logro de la felicidad.* Por un lado eliminan de su vocabulario toda noción de trascendencia —el misterio insoluble de la creación de la materia, la realidad del dolor, la inevitable tragedia de la vejez y la muerte— o responden con vulgaridades seudocientíficas a las naturales inquietudes e interrogantes que han servido y sirven de base a las manifestaciones del fenómeno religioso a lo largo de la historia de la humanidad; por otro, excluyen la consideración de la existencia completa de nuestro cuerpo: esta realidad carnal, escandalosa y traumática para los «ascéticos» de toda laya,[7] negada siempre en nombre de ideologías que lo convierten en simple abstracción angélica o lo reducen a la triste condición de mero instrumento de trabajo. Mutilación por partida doble —física y metafísica— reflejada en la uniformidad e inconsistencia de unos programas culturales perfectamente intercambiables. Ninguna crítica a fondo de nociones tan discutibles como normalidad, Estado, propiedad, matrimonio, familia. Ninguna propuesta de debate sobre el tópico de la industrialización en cuanto presunto agente liberador del ser humano o las aberraciones, cada vez más suicidas, de la sociedad de consumo. Ninguna alternativa en términos de imaginación y utopía.

La única excepción al esquematismo y pereza imagi-

7. Cf. las declaraciones del profesor Tierno Galván sobre el ascetismo, la familia, la mujer, el feminismo, la homosexualidad, la normalidad, los remedios a la concupiscencia, etc., que apenas se distinguen de las que podría haber formulado Blas Piñar acerca de estos temas. En *Los partidos marxistas...*, pp. 131-147.

nativa que señalamos, la hallaremos, fuera del juego de los partidos, en el renacido y pujante movimiento libertario. La innegable incidencia de los ácratas en la vida española del postfranquismo es, en mi opinión, enormemente significativa tanto cuanto dicho movimiento —por el hecho de no estar sometido a la estrategia y consideraciones electorales y disponer por consiguiente de una libertad mucho mayor— responde mejor que aquéllos a las aspiraciones y realidades excluidas de sus programas, formulándolas y exigiéndolas desde ahora en vez de remitirlas, como se suele, a la futura conquista del poder. *Desde la periferia del campo político ejercen así una acción contestataria energética y vitalizadora con respecto a los problemas específicos de amplios grupos sociales —problemas no reductibles a la «superstición económica» que denunciara Gramsci—, un reto que los partidos políticos de filiación marxista deberán tarde o temprano afrontar: esa síntesis del «cambiar el mundo» de Marx con el «cambiar la vida» de Rimbaud que se sitúa en el centro de la problemática revolucionaria de nuestro siglo.*

No, no es una *boutade* mía, sino una realidad.

El perfeccionamiento creciente del instrumental crítico convierte poco a poco al escritor en una especie de acusado cuyas contradicciones, debilidades o fallas, ya sean de orden ideológico, político, social, síquico, moral o estético son objeto de un análisis clínico —compasivo o despiadado— por parte de un ejército de autotitulados críticos que, armados con un aparato conceptual sólidamente articulado, bien engrasado y brillante —con la sabiduría eficaz del cirujano o la buena conciencia del juez conocedor de un vasto repertorio de delitos y leyes— intervienen, operan, seccionan, acusan, perdonan, condenan. Junto a la imagen tradicional del crítico historicista, sicoanalista, estructuralista o sociológico vemos surgir lentamente, guardiana celosa de la ortodoxia del método, una nueva casta de críticos-fiscales investida de autoridad misteriosa, para quien el vilipendiado subjetivismo del escritor es el campo ideal sobre el que ejercer su dominio.

Mientras, por un lado, los críticos formalistas más

extremos aspiran a convertir la literatura en un simple esqueleto —sistema descarnado, desprovisto de mensaje— y postulan de hecho una estética estructuralista que excluya *a priori* los demás niveles de interpretación del texto, la crítica ideológica lleva a cabo una reducción similar, destinada a purgar la obra analizada de todas sus escorias e impurezas oníricas, irracionales, subjetivistas.

«Un escritor, hoy día —escribía Eikenbaum en 1929— compone una figura bastante grotesca. Es, por definición, inferior al lector medio, dado que a este último, como ciudadano profesional, se le atribuye una ideología consistente, clara y estable. En cuanto a nuestros reseñadores —no podemos darles el nombre de críticos desde el momento en que no admiten diferencias de opinión— están convencidos de que son infinitamente superiores y más importantes que el escritor, del mismo modo que el juez es siempre superior y más importante que el acusado.» [1]

Casi medio siglo después, sus palabras suenan de manera familiar en nuestros oídos. El escritor sigue siendo hoy para un vasto sector de la crítica una especie de enfermo cuyas lacras, producto de su individualismo incurable, de su irracionalismo impenitente, sirven de pretexto a la exposición de esquemas y cuadros sinópticos semejantes a los que, en los libros de ciencias naturales que estudiaba en mi niñez, analizaban la morfología y caracteres de los coleópteros o los dípteros. A cubierto de una metodología objetiva, científica, los críticos se proclaman exentos, *por definición*, de toda tara de irra-

1. Cf. Victor Erlich, *Russian Formalism. Criticism-History-Doctrine*, Mouton, La Haya, 1955. Traducción española, Seix Barral, Barcelona, 1974.

cionalismo, subjetivismo, individualismo, etc., armados, protegidos, casi invulnerables tras una rígida y articulada caparazón de conceptos, maciza como una armadura. Querámoslo o no, ésta es la realidad, y aunque mi doble condición de crítico y escritor me indique que subjetivismo, pasión e irracionalidad se mezclan fatalmente con mis propósitos racionales de censura moral, social o política tanto cuando hago obra de creación como cuando ejerzo una función crítica —esto es, que mis neurosis personales de escritor son las mismas que mis neurosis personales de crítico—, basta con que hábilmente me envuelva en la cota de malla de cualquier *corpus* metodológico para que mis gustos, antipatías, intereses y preferencias, esto es, mi vertiente más o menos irracional e individualista desaparezca como por ensalmo y me convierta de golpe en un ente puramente racional y objetivo, horro de todos los defectos y máculas que el desdichado escritor no logra escamotear nunca.

En mi opinión, dicha situación es absurda, y al obligado sicoanálisis de la obra del escritor debería agregarse, como materia de reflexión, el sicoanálisis de la obra del crítico. Y puesto que estamos aquí entre profesores, cuyo quehacer es hasta cierto punto la crítica, quisiera preguntarles tan sólo, como a menudo me he preguntado a mí mismo, si las dificultades y apremios de la vida diaria —la negra necesidad de publicar para ascender en el escalafón, de escribir tesis doctorales conforme a los gustos y preferencias de quienes las dirigen, de no herir la susceptibilidad del colega a quien vemos todos los días, etc., etc.— no son ingredientes obligados de nuestra actividad que influyen en nuestros dictámenes y embeben nuestros juicios al mismo título y del mismo temor que nuestras simpatías o antipatías personales, religiosas, sociales, estéticas o políticas. Tras la metodología más objetiva y científica, el maldito subjetivismo asoma siempre la oreja y, a fin de cuentas, bien está que así sea. Si el crítico se limitara a aplicar con el rigor y exactitud de un *computer* los cuadros y esquemas del instrumental por él escogido —llámese estructuralista, sicoanalista o marxista—, su labor de *robot* descartaría una serie de campos magnéticos y afinidades electivas de capital importancia en nuestra concepción del ser y especificidad de la literatura. Con ello no quiero decir, ni mucho menos, que el enfoque conceptual elegido por el crítico no deba aspirar a un valor científico, fundado en el rigor de su propio método. Digo, tan sólo, que la elección de éste y su manejo personal por parte del crítico supone toda una serie de apriorismos y preferencias que son al fin y al cabo ingredientes esencialmente subjetivos. En último término, toda obra crítica de importancia nos interesa en la medida en que nos habla tanto del crítico como del autor estudiado por él.

Llegado a este punto me parece oportuno que del mismo modo que solemos preguntarnos el porqué de la literatura, nos interroguemos acerca del *status* del crítico en el mundo de hoy. ¿Qué papel desempeña en realidad? ¿Cuál es su justificación? ¿Simple intermediario entre el creador y el público? ¿Gorrón, parásito o zángano que vive del escritor muerto y gracias al cual obtiene un *modus vivendi* en forma de cátedras, conferencias, premios, fabulosas becas? Muchas veces, al escribir sobre autores de vida tan difícil y dura como Rojas o Miguel de Cervantes he experimentado una sensación de frondoso asombro y estupefacción abrupta ante la idea de que el dolor y amargura que configuran su obra puedan convertirse siglos más tarde en cómodo ganapán de hispanistas que, como yo, enseñamos, bien o mal, en Universidades de Norteamérica. Mezquina realidad que convierte la herida moral del artista en medio de conseguir empleos, emprender viajes y hasta solicitar ayudas de alguna fundación imperialista, de apariencia más o menos filantrópica.

A esta situación, a estas preguntas, me he enfrentado a menudo estos últimos años, en virtud de mi doble condición de crítico y escritor, atormentado por una sensación de malestar tan viva e irremediable como la que acompañó en mi juventud el descubrimiento de la realidad del país en que nací y sus brutales injusticias sociales. Aunque mi menester de escritor, como mi menester de crítico, me parecen igualmente injustificables, creo, no obstante, que ninguna sociedad humana, cualquiera que sea su tipo de organización, puede vivir sin ayuda de la literatura. Y si, indirectamente, ello explica la necesidad del creador (poeta, novelista, dramaturgo) no es tan seguro que dicha necesidad se extienda igualmente a la existencia del crítico.

En algunos casos la razón de ser de éste resulta con todo evidente, por el hecho mismo de las circunstancias de la comunicación escrita. Mientras en la comunicación oral, el locutor puede referirse en todo momento al contexto, esto es, a una situación concreta y precisa, simultáneamente presente al auditor, en el campo de la literatura, el autor no tiene nada en común con el lector, salvo el texto que ha escrito y el dato de pertenecer a una misma comunidad lingüística. El hecho de que al leer una novela, la comunicación no se establezca entre un locutor y auditor con idéntica o aproximada experiencia del mundo, sino entre un narrador y un lector, ocasiona que el primero no pueda verificar si el segundo posee en el momento de la lectura el conocimiento del contexto que da por supuesto el texto narrativo. Ello explica que el lector alejado del texto en el tiempo y/o en el espacio se vea en la necesidad de que un intermediario recree las situaciones contextuales para suplir precisamente la ausencia de situación. Aquí, por ejemplo, la crítica histórica desempeña una función obvia tanto cuanto sólo el índice situacional reconstituido por el crítico puede permitirnos una lectura cabal y óptima de la obra.

Pero en otros casos, cuando el índice situacional y conocimiento del mundo del escritor y el lector son casi idénticos, la función del crítico parece, a simple vista, menos clara. ¿Qué necesidad tiene el lector de una labor intermediaria si sus coordenadas sociales y culturales son las mismas que las del novelista? La pregunta es pertinente y conviene que, aun dentro del lapso de tiempo que permite este ensayo, nos esforcemos, aunque sea brevemente, en contestarla.

Cuando el lector emprende la crítica o reseña de una obra puede adoptar una doble actitud. O bien toma como único criterio de validez sus gustos y preferencias personales y afirma que cuanto no concuerde con ellos es malo o carece de interés —es decir, da a sus emociones íntimas un valor objetivo e inapelable— o bien recurre al instrumental crítico de las diversas disciplinas que analizan la obra literaria y se esfuerza en cerner a través de ellas su estructura, mensaje e ideología. En el primer caso la situación es muy simple: dice el refrán «sobre gustos no hay disputas», y la opinión del reseñador es desde luego irrefutable, con lo que el lector no tiene otro remedio que acatar sus dictámenes o cerrar su libro o artículo y dejarlo pontificar solo. Pero en el segundo el asunto reviste un cariz bastante más complejo y el crítico que aspire a realizar un análisis de la obra literaria con un mínimo de rigor científico se enfrenta *ab initio* con un problema de orden metodológico, a saber: ¿qué criterio debe seguir para analizarla?

Existe en efecto un fenómeno de pluralidad y convergencia de métodos. Una serie de disciplinas como la poética, la sociología, el sicoanálisis, etc., se sirven del estudio de la obra literaria concreta como medio o instrumento para llegar a los fines particulares de estas disciplinas. Una característica esencial de la obra literaria radica en el hecho de contener en sí varios niveles de interpretación y de proponer en consecuencia gran variedad de lecturas: ser a la vez ilustración de ciertas ideas (políticas, artísticas, filosóficas, etc.); imagen o reflejo de la sociedad en que se produce, y expresión personal del autor. El crítico puede centrar su interés en cualquiera de los tres factores o interesarse aún en las relaciones del texto con el *corpus* literario de su tiempo y revelar así su peso específico y originalidad, sus innovaciones y vínculos, su arquitectura secreta. Dicha polisemia, consustancial a la literatura, es consecuencia directa de la ambivalencia y ambigüedad del lenguaje. Como decía un crítico en cierta ocasión, el dolor no es siempre doloroso en la poesía: a veces aparece en el poema porque rima simplemente con amor. De igual manera, podemos concebir una obra, simultáneamente como producto de la superestructura ideológica de la sociedad y como resultado de la neurosis particular del artista. Y aunque los propósitos y fines de los críticos sean totalmente opuestos, los dos nos estarán hablando en realidad de un mismo y único libro.

La diversidad de métodos impone al lector la necesidad de escoger entre ellos no sólo conforme a sus afinidades, gustos y preferencias, sino también teniendo en cuenta la índole peculiar de la obra estudiada, puesto que ésta —aunque pueda ser objeto de análisis por todos ellos— se presta mejor, según los casos, a un tipo de crítica que a otro. Es decir, la existencia de diferentes sistemas críticos —dotado cada uno de ellos de metodología y fines propios— puede actuar y aceptarse *no en términos de exclusión sino de complementariedad.* Todo texto literario enjundioso admite, repetimos, distintos *approachs*, y cada uno de ellos —desde el momento que se realiza con seriedad— ilumina diferentes aspectos del mismo, nos descubre su multiplicidad de facetas, nos revela los límites e insuficiencias de las diversas lecturas. Por esta razón, he soñado muchas veces en la existencia de un departamento de literatura capaz de encargar a media docena de profesores competentes, adeptos a distintas metodologías críticas, el análisis convergente de obras como *La regenta,* el *Quijote* o *La Celestina.* Creo que tal experiencia sería decisiva para el estudiante que tuviera la oportunidad y el deseo de asistir a los diferentes cursos en la medida en que le revelaría la índole ambigua, polisémica, totalizante de la obra tratada. Pero esto sería mucho pedir a los desdichados departamentos de español que en la mayoría de los casos, aun a estas alturas, siguen ignorando desdeñosamente todo tipo de cursillo teórico sobre la poética o sobre la lingüística.[2]

Esta complementaridad de enfoques me parece perfectamente admisible con dos condiciones:

2. Cf. Carlos-Peregrín Otero, *Letras I,* 2.ª ed., Seix Barral, Barcelona, 1972.

1) Siempre que —cuando menos en una primera fase— el crítico renuncie a toda idea síntesis. Sabemos, en efecto, desde Kant, que la ciencia no la crea el objeto, sino el método. Esto es, todo análisis de la obra literaria será aceptable a condición de que sea coherente o, por mejor decir, se elabore a partir de un punto de vista particular y preciso. Una vez adoptado éste, «habrá que tomar en consideración, los elementos y factores que se conforman con él y descartar los demás».[3] Creo, pues, en la validez y legitimidad de diferentes métodos críticos; pero si pretendiéramos amalgamarlos, si quisiéramos barajar en nuestro análisis conceptos y enfoques de la crítica histórica, sociológica, sicoanalítica, etcétera, actuaríamos, dijo una vez Todorov, como si al proceder al análisis de los cuerpos mezcláramos los métodos de análisis de la física, la química y la geometría, renunciando así a toda pretensión de rigor.

Una vez delimitados los campos, cabrá aceptar como hipótesis fructífera la existencia de zonas fronterizas en que la convergencia de métodos opere de modo vitalizador —como, según me recordó oportunamente Ferrater Mora, sucede en el campo de las ciencias—. Pero esta fecundación recíproca exige, repetimos, a modo de preámbulo, una primera fase separatista y ordenadora: lo contrario equivaldría a enmarañar aún más nuestras ideas en la materia y comenzar, por así decirlo, la casa por el tejado.

2) En segundo lugar, el crítico tiene que adoptar un cierto margen de libertad con respecto a su propio método —libertad exigida no sólo por la índole particular

3. Tzvetan Todorov, "Poétique", en *Qu'est-ce que c'est que le structuralisme*, Ed. du Seuil, París, 1968.

del texto, sino también por la necesidad de liberar su análisis de toda carga de dogmatismo—. Esto me parece esencial, y creo que los epígonos y discípulos de Lukács, Goldmann, Adorno, Barthes o Greimas deberían tenerlo muy en cuenta. Rasgo muy común a la crítica ideológica hispana ha sido siempre su propensión a transformar todo método de análisis de la obra literaria —importado a menudo pieza por pieza de Alemania, Francia o Italia como nuestras fábricas de Volkswagen, Fiat o Renault— en un rígido sistema de dogmas penosamente digeridos (y alguno de nuestros «ideólogos» me hace pensar irresistiblemente en estas serpientes que, tras devorar a un buey, permanecen meses y meses aletargadas, sin poder asimilar el animal objeto de su desmesurado apetito, llámese Freud o Lenin, Walter Benjamin o Lacan). Pero la literatura se ha burlado, se burla y se burlará siempre de semejantes guardianes, y basta con que éstos se erijan en centinelas a las puertas de cualquier fortaleza ortodoxa para que descubran en seguida, con tristeza y asombro, que, alrededor de la ciudadela preciosamente guardada, nuevos e improvisados campamentos brotan, aquí y allá, como hongos. En otras palabras, el crítico debe poseer la flexibilidad de adaptar su propio método a la obra que estudia. Siempre he preferido los trajes a medida que los de confección en serie, y desde el momento en que el crítico dogmatiza, pierde miserablemente el tiempo: su tentativa es tan inútil como poner puertas al campo o querer atrapar con redes el agua del mar.

Dicho esto, entre los diferentes métodos de análisis crítico, mis preferencias personales van al de la poética, tal como nos ha sido definida por Jakobson. Creo, como decía Northrop Frye, que la crítica literaria tiene necesidad de un principio coordinador o hipótesis de base que permita considerar las obras aisladas como partes constituyentes de un conjunto global. Toda disciplina permanece en estado embrionario hasta que no descubre su autonomía y toma conciencia de ella. El salto inductivo que sienta las bases de la poética se funda en el hecho evidente que la descripción de un texto no es nunca completa si se limita solamente a él: una obra cobra siempre sentido con relación a otras obras, a todo un sistema de valores y significaciones previos. Como descubrieron en su día los formalistas rusos, «la función de cada obra está en su relación con las demás [...], cada obra es un signo diferencial». En otros términos: el objeto de la poética «debe ser el estudio de las particularidades específicas de los objetos literarios que los distinguen de cualquier otra materia independientemente del hecho que, por sus rasgos secundarios, esta materia sirva de pretexto y dé derecho a ser utilizada por otras disciplinas como objeto auxiliar». Tal enfoque crítico no pretende, como suele decirse, que la literatura se baste a sí misma ni postula la llamada teoría del arte por el arte. Al contrario, muestra que la serie literaria es una parte del edificio social, en estrecha vinculación con las otras series del mismo. Pues aunque la vinculación de todo texto con el *corpus* literario de su tiempo es siempre más intensa que la que le une al contexto, la descripción o análisis de una obra dada nunca serán completos si no hacen referencia a todo su conjunto dinámico de elementos y relaciones extra-textuales. Ahora bien, a mi entender, esta referencia sólo cobra sentido integrada en el sistema total de la obra y, en este caso, «es la realidad la que forma parte del texto, y no al revés».

Pluralidad de métodos, no sincretismo: mi experiencia particular de escritor me ha enseñado que el novelista, como el poeta, opera con palabras, no con cosas o ideas. Toda novela, decíamos antes, implica una visión del hombre y el mundo y responde a los problemas de una época y sociedad determinadas. Pero el novelista no puede «reproducir» el mundo sino aislándose de él y recomponiéndolo conforme a otros cánones. Y aunque su propósito sea el de expresarse a sí mismo u ofrecernos su visión del hombre y la sociedad, no nos comunica su expresión personal o visión social, sino en el momento en que se forja un lenguaje. El estudio de éste se convierte así en un elemento fundamental de su propia praxis y es ahí donde la controvertible necesidad del crítico a la que antes aludía halla tal vez su razón de ser.

El período actual, se lamentaba no hace mucho un crítico, ocupa un lugar único en la historia de la literatura por el hecho de que, cuando el autor emprende una obra, ésta surge en medio de una serie de disciplinas, cada vez más precisas y elaboradas, sobre la actividad narrativa o poética, y por tanto se ve obligado a enfrentarse con ellas si quiere llevar su empresa a buen término. El escritor de hoy no puede fingir inocencia ante el lenguaje y utilizarlo con ingenuidad, porque da la casualidad de que el lenguaje no es jamás «inocente»; no puede abandonarse, como solía en otras épocas, al flujo caprichoso de la inspiración confiando en que ésta le llevará por buen camino porque al actuar así se comportaría, observó en una ocasión Cortázar, como una persona que se propusiera realizar una larga y difícil travesía marítima sin conocer las reglas elementales del arte de la navegación. Cualquier escritor contemporáneo que ignore, por ejemplo, las nociones básicas de la poética o la lingüística es una figura anacrónica, condenada a una expresión reiterativa, redundante, muerta antes de nacer. Esto es, el novelista o poeta consciente es necesariamente un novelista o poeta crítico, y me atreveré a decir ahora que el mismo desdoblamiento opera en sentido inverso: el crítico debe ser también, y será cada vez más en lo futuro, narrador y poeta. Crítico-poeta o poeta-crítico, dicho mestizaje tendrá la virtud de eliminar las diferencias artificiales erigidas entre ellos, aboliendo por un lado la imagen romántica del creador inspirado por las musas y por otro, la que el crítico intermediario nos ofrece hoy —zángano, parásito, aprovechador—. Uno de los rasgos esenciales de la literatura de nuestro tiempo radica precisamente en la abolición de las aduanas y fronteras establecidas entre los géneros clásicos en favor de una producción textual descondicionada que los englobe y a su vez los anule: textos que sean a un tiempo crítica y creación, literatura y discurso sobre la literatura y, por consiguiente, capaces de encerrar en sí mismos la posibilidad de una lectura simultáneamente poética, crítica, narrativa.

Esta aspiración universalista no es de ahora. El *Quijote* nos procura el mejor ejemplo de una novela que es juntamente un espléndido repertorio crítico de la literatura de su tiempo: Cervantes analiza uno tras otro los diferentes códigos entonces en boga, los articula en el mecanismo complejo de su propio artefacto y finalmente los parodia y destruye en nombre de la realidad superior que él inventa. Su obra es una crítica novelada o narración crítica cuyos materiales entretejen estrechamente sus mallas hasta confundirse —producto paradigmático de ese «crítico practicante» que, como dice Vargas Llosa, «no sólo ejerce la crítica, sino la creación propiamente dicha».[4] Tal crítico, agrega el novelista peruano, «de ninguna manera puede aspirar a la objetividad (sino que) descubre su juego desde el comienzo; utiliza como atalaya su propia concepción de la literatura vertida en novelas, poemas, dramas». La asunción deliberada del subjetivismo con todas sus consecuencias le libera así de las ambigüedades inherentes a la labor del crítico «objetivo» desde el momento en que, como ha hecho magistralmente el propio Vargas en el caso de Flaubert, pone de entrada las cartas sobre la mesa—.

Claro que lo que es obvio en Cervantes y aun en Vargas Llosa, puede parecerlo menos si el crítico creador o practicante se llama Juan Pérez —por cuanto el subjetivismo y la atalaya cultural de éste corren el riesgo de sernos indiferentes—. Pero aun teniendo en cuenta esto, quisiera señalar que la interacción que postulo no es un tren de vía única: si el novelista «cervantiza» metiéndose a crítico —como modestamente he intentado yo en *Don Julián* y *Juan sin Tierra*—, el crítico opera ya en sentido inverso dando a su ensayo una estructura narrativa —como nos muestra un crítico-crítico tan riguroso como Carlos Peregrín Otero en un trabajo titulado precisamente «Cervantes e Italia».[5]

La enajenación del trabajo especializado, admirablemente descrita por Friedman, opera también de modo sutil en el campo intelectual, aunque el intelectual puro no caiga en la cuenta de ello. Abolir las fronteras entre

4. Ricardo Cano Gaviria, *El buitre y el ave fénix: conversaciones con Mario Vargas Llosa*, Anagrama, Barcelona, 1972.
5. El interesante conjunto de ensayos y artículos de Agustín García Calvo, *Cartas de negocios de José Requejo*, se presenta igualmente en forma narrativa.

especialistas en novela, poesía y crítica puede constituir un primer paso importante en la anulación posterior de las barreras erigidas por el capitalismo —y cuidadosamente mantenidas en la URSS— entre el trabajo intelectual y manual. La futura comunidad literaria sería así una de críticos-creadores o de creadores-críticos, reflejo a su vez de una sociedad más justa en la que la posibilidad de un trabajo creador, no alienado, se extendiese a todos los ciudadanos conforme al viejo sueño de Marx.

Abandonaré aquí mis elucubraciones un tanto utopistas para volver a mi punto de partida y encararme aún, antes de concluir, con la pregunta que anteriormente me planteaba: ¿es realmente necesario el crítico literario en el imperfectísimo mundo de hoy? Mi respuesta será: tanto, o tan poco, como el escritor. Como él es, a un tiempo, subjetivo, irracional, arbitrario (y objetivo, racional, moralista), pero lo disimula mejor. Su condición es vagamente parasitaria y posee una propensión desdichada a erigirse en guardián de su ideología, de la pureza de su propio método. A menudo confunde sus gustos personales con la noción ideal del arte y la literatura. Vive, a veces muy bien, del creador muerto, pero lo único que a fin de cuentas puede echársele en cara es su falta de humor.

REMEDIOS DE LA CONCUPISCENCIA
SEGUN FRAY TIERNO

El nuevo orden moral impuesto en el país por la victoria militar franquista se inscribía en una de las tradiciones más sólidas, arraigadas y antiguas del catolicismo nacional hispano: el odio al sexo, la licencia de costumbres y promiscuidad de los valores que, en nombre de unos principios normativos y ascéticos, se proponía preservar la intangibilidad de la familia y la sacrosanta «misión» biológica de la mujer en el interior de unas estructuras patriarcales abreviadas en el lema de Patria, Trabajo, Familia. Como he señalado en otras ocasiones, la aversión al goce sexual, fuera de los cánones estrictamente procreativos, del común de nuestras autoridades literarias, desde Unamuno a Menéndez Pidal, debería ser estudiada con seriedad si queremos comprender las características represivas del pensamiento reaccionario peninsular: encastillados en una presunta superioridad intelectual o moral, dichos escritores fulminan contra el desorden de los instintos, la concupiscencia y el libertinaje. Por espacio de décadas, desde las altas esferas del poder, nuestros programadores culturales y morales se esforzaron en inculcar en nuestro pueblo las nociones de norma y desviación, mandamiento y pecado, con el deliberado propósito de transformar a la masa de los españoles en un rebaño de seres mutilados, culpables y enfermos, encerrados en la problemática sin salida de una lucha permanente y estéril contra su propio cuerpo —lucha destinada a mantenerlo al margen de la vida libre y adulta de los hechos e impedirles su participación efectiva en los conflictos sociales y políticos conducentes a su liberación. Cuando, en virtud de los cambios operados por el despegue económico de los sesenta dichos principios represivos y ascéticos entraron en crisis, los defensores más empedernidos del orden franquista elevaron inútilmente su voz de alarma. El ex-procurador nacional en Cortes y actual dirigente ultra señor Blas Piñar clamaba repetidamente año tras año por el retorno a los viejos principios familiares y católicos de «fortaleza de cuerpo y limpieza de mente», se desataba contra la modestísima «invasión de la pornografía, el erotismo, la corrupción de costumbres» y denunciaba en tonos apocalípticos el peligro de que se creara en España una «juventud muelle y afeminada», presa fácil, decía, «de los pueblos machos y crueles de Oriente».

Hoy, cuando el desmantelamiento paulatino de la dictadura se ha visto acompañado de un abandono paralelo de las formas más visibles y escandalosas de la represión corporal y sexual,[1] el fenómeno del destape de nuestras revistas y publicaciones, la evolución rápida de las costumbres, el desenvolvimiento de las luchas feministas, la toma de conciencia de los movimientos de liberación gay,

1. Todavía sigue vigente, por ejemplo, la ley de Peligrosidad Social, que persigue indiscriminadamente a vagabundos, gitanos, homosexuales, drogadictos y otras especies "anormales".

etcétera, suscitan la alarma y espanto no sólo, como pudiera esperarse, en los sectores más tradicionales y reaccionarios del búnker franquista y los nostálgicos del catolicismo a la antigua, sino en el campo de la propia izquierda con el resultado sorprendente de ver reaparecer en boca de algunos de sus líderes la misma moralina franquista-católica administrada en dosis purgantes, masivas por espacio de casi cuarenta años.

Tras las declaraciones condenatorias e insultantes para centenares de miles de españoles de líderes supuestamente revolucionarios (pero incapaces de extraer, por lo visto, *el común denominador de todas las opresiones que hoy nos abruman*) como Diego Fábregas (de OICE), Manuel Guedán (ORT), Eladio García (PTE) sobre la homosexualidad,[2] he aquí que, de vuelta del exilio (en donde como los emigrados aristócratas de Coblenza, parece no haber olvidado ni aprendido nada), Federica Montseny profesa una serie de opiniones, realmente insólitas en labios de una anarquista, acerca de la liberación de la mujer («por principio, yo no he sido nunca feminista») y

2. Se puede ser anti-esclavista, pero burgués. Se puede ser republicano y colonialista. Se puede ser obrero pero machista. Se puede ser defensor de los derechos de las mujeres, los negros y los obreros, y perseguir a los homosexuales. Pero no se puede pretender el nombre de revolucionario sin extraer el común denominador de todas las opresiones, a fin de denunciarlas y combatirlas. La forma de razonar de estos "líderes" marxista-leninistas que, como muchos honestos izquierdistas de hoy, advierten y lamentan la alienación de los obreros en las fábricas pero no la que sufren las mujeres en sus propias casas, me recuerda la anécdota de una muchacha sumamente racista, empleada en la editorial parisiense en donde yo trabajaba, que, al enamorarse de un estudiante congoleño y descubrir las reacciones xenófobas de los vecinos cuando lo recibía en su piso, decía escandalizada: "Si fuese un argelino, lo comprendería perfectamente. ¡Pero un negro!". Las respuestas de Guedán, Fábregas, Eladio García a la encuesta de Fernando Ruiz y Joaquín Romero figuran en el libro *Los partidos marxistas. Sus dirigentes/Sus programas* de Ed. Anagrama, Barcelona, 1977.

97

se despacha contra los grupos gayos en unos términos que merecerían sin duda la aprobación entusiasta del fundador de Fuerza Nueva («Por mi parte los considero equivocaciones de la naturaleza... La verdad es que todos esos movimientos ya me empiezan a inquietar un poco. La homosexualidad, a mi entender, es un símbolo de debilidad, de decadencia social, no olvidemos, por ejemplo, que los griegos iniciaron su decadencia con ella», etc.).[3] Pero el mérito de la exposición más razonada de los principios de una nueva cruzada ascética y salvadora de la izquierda contra la corrupción que nos invade corresponde sin duda al muy ilustre (por sus *gaffes* y desatinos) profesor Tierno Galván.

El señor Tierno Galván —a quienes los redactores de la excelente *Revista de Literatura* de la Universidad de Barcelona bautizaron no hace mucho con el nombre oportunísimo de fray Tierno— pertenece a este glorioso linaje de maestros hispanos que poco o nada pueden dar a conocer a la masa de sus paisanos fuera del curioso y divertido espectáculo de su propio anacronismo y nesciencia. Hombre de otro planeta y otro siglo extraviado en la confusión y barbarie de nuestro tiempo, se esfuerza como puede en componer una ideología *rétro*, con parches de socialismo «científico» (¡pese a su chistosa caracterización de Engels en términos de «teórico pobre»!) y remiendos de tradicionalismo vernáculo (manes inmortales del beato Antonio María Claret y del aún no beato, pero ya marqués, monseñor Escrivá), opinando de lo humano en divino y de lo divino en humano cuando afirma, por ejemplo, con cuasi columbina inocencia, que Cuba es hoy el régimen socialista más progresista del

3. Entrevista con Ramón Rovira en *Andalán*, 17-6-77.

universo en la medida en que allí «se ha respetado hasta el máximo la condición y naturaleza humanas» (la cifra actual de tres mil presos políticos admitida por el propio Fidel Castro ante la televisión americana, su concepción estrictamente militar de la sociedad, el monolitismo ideológico, la censura férrea no cuentan para nada) o repite los argumentos tomistas (invocados igualmente por una pléyade luminosa de carpetos, de Menéndez Pelayo a Arias Salgado, Fraga, Muñoz Alonso y Robles Piquer) de que «la libertad no es un bien por sí mismo, lo es por sus fines» (argumento capcioso que ha permitido y permite a todos los regímenes opresivos, cualquiera que sea su andamio ideológico, sacrificar las libertades imperfectas, pero vivas, del presente en nombre de la sublime e impoluta libertad de un futuro remoto y a veces extraterrestre). Puritano, doctoral, sentencioso, exhibicionista fray Tierno tiende a juzgarse a sí mismo por paradigma vivo del revolucionario puro, destinado a eliminar las escorias residuales «burguesas» adheridas a los altísimos principios morales que profesa.[4]

Su visión de la sociedad, matrimonio, familia, goce sexual, etc., es un híbrido de las críticas de Lenin a Clara Zetkin y Alejandra Kollontai y los argumentos paulinos, agustinianos y escolásticos compendiados en el célebre catecismo del padre Ripalda. Sus respuestas al cuestionario de Anagrama tienen el notable mérito de desbarrar o contradecirse en todos los terrenos, no sabemos si por senilidad prematura o por un amor a la paradoja llevado a los últimos extremos. Las organizaciones de jóvenes, nos dice, por ejemplo, «son una forma de dividir

---

4. Todas las citas de Tierno Galván han sido extraídas del ya citado libro de Fernando Ruiz y Joaquín Romero, pp. 131-47.

el frente revolucionario»; aunque el papel político de la mujer, observa con aire grave, es «muy importante»,[5] la creación de movimientos feministas independientes de los partidos constituye en su opinión, «un caso muy claro de desviación revolucionaria»; Trotski, Stalin y Mao son para él, sin el menor distingo, «enormes personalidades de valor positivo» aunque moralmente «problemáticos»; lo sucedido en mayo del 68 le sugiere el brillante descubrimiento de que la minoría dirigente en Francia, «y se me ocurre (!) que en toda Europa», abusaba de sus privilegios; en cuanto a la situación de los bolcheviques recluidos en las prisiones y asilos siquiátricos de la URSS, su respuesta es simplemente antológica: «Yo comprendo que el Estado tiene ciertas necesidades perentorias de defenderse, pero también entiendo que en el orden individual es triste que los ciudadanos sufran la represión del Estado... Es muy difícil poder enjuiciar este caso (!), pero si estos ciudadanos, como usted parece indicar [lo que da a suponer que el ilustre profesor no estaba al corriente de la abrumadora masa de testimonios de los Pliutch, Bukovski, etc., J.G.] dicen que son bolcheviques, se trata de luchas internas ideológicas. En éstas, la tensión, y en muchos casos la represión, llegan al máximo y *creo que esto es inevitable*» (!). Tras manifestar que, para él, cualquier ciudadano debe tener derecho a «un juicio libre», a una «sentencia clara», conforme a «un sistema procesal nítido, definido y justo» (fray Tierno nos está hablando, no lo olvidemos, de delitos políticos, lo que nos permite augurar un futuro di-

5. Siempre que leo perogrulladas de esa índole me acuerdo de la gloriosa frase de uno de mis estudiantes de la New York University escrita en una composición de fin de curso: "En las relaciones entre el hombre y la mujer, el papel de la mujer es muy importante".

choso para los opositores, bolcheviques o no, del Estado español el día, por fortuna muy improbable, en que el PSP se haga cargo del poder), concluye con acentos dignos del titular de una cátedra de ética histórica: «En las luchas ideológicas es mucho más difícil penetrar, porque estos mismos ciudadanos que están detenidos es muy posible que ejerciesen la misma acción contra los que ahora los han apresado a ellos».

Al analizar la situación española creada por la desaparición del general Franco, fray Tierno observa que «estamos en una época de transición» propia del «capitalismo tardío» ante la cual «la única actitud que tomamos algunas personas que nos llamamos revolucionarios es mantenernos en contra de la manifiesta promiscuidad de los valores que señala el momento actual. Por consiguiente adoptamos una postura ascética y firme: no se trata de ninguna especie religiosa... sino del convencimiento... de que no podemos dejarnos llevar por lo que es peor y que constituyen los elementos residuales del proceso de transición del progreso, de la dialéctica de la historia». Quienes se autodenominan revolucionarios (y bien está que lo hagan ellos, ya que a nadie con dos dedos de frente se le ocurriría la peregrina idea de designarlos de tal modo después de conocer sus opiniones) deben procurar, añade fray Tierno, que «el esquema de la familia tradicional que hemos recibido se haga flexible, y permeable, porque no es posible cortar el hilo del peso histórico». Frente al fetichismo del producto comercial propio del emparejamiento burgués, la sociedad socialista produciría, según él, «la pareja consistente, real, en la que los elementos definidores estarían jerarquizados de acuerdo con un sistema de valores estables».

¿Jerarquía? ¿Valores? El lector, esperanzado, piensa en las diferentes propuestas que, desde Fourier a Lafargue, han acompañado la elaboración del proyecto socialista; pero el ideal de fray Tierno se encamina, como vamos a ver, por muy diferentes derroteros: «En este sentido, los revolucionarios nos acercamos a la idea de la Iglesia, que considera la procreación, la relación sexual, el remedio de la concupiscencia, como fines secundarios del matrimonio. Es decir, que los fines primarios son el compartir una determinada idea, el estar en la misma crítica ideológica, el hallar la identidad de uno mismo en la identidad del otro con uno mismo, y sólo como un fin, no secundario, sino terciario o cuaternario, está eso que ahora aparece como el fin primario, que es la pura y simple relación animal». Si la pareja se funda primaria, secundaria y aun terciariamente en el hecho de compartir una idea (debemos presumir que se trata de una idea socialista aunque fray Tierno no nos lo aclara) y «eso» (el presidente del PSP fuerza el mismo mohín de disgusto que mis desdichadas tías al aludir al acto sexual) es un elemento «cuaternario», uno podría figurarse que la pareja «consistente», identificada en su mutuo respeto y admiración al ideario abstruso del profesor, podría ser no sólo de hombre y mujer, sino de hombre y hombre, mujer y mujer, viejo y niño y un largo etcétera, pero no es así. Desde el punto de vista socialista revolucionario, dictamina con sabiduría asombrosa, «la pareja hombre-mujer es la determinada para llevar a cabo el proceso histórico» (ignoramos si en el catre o en los mítines políticos del PSP) y todo otro tipo de apareamiento nace de motivos «que están construidos sobre los instintos, más que sobre la racionalidad». Las cosas están claras: mientras los aborrecidos instintos llevan derechamente a la homosexualidad, la unión hombre-mujer es un asunto fundamentalmente racional e incluso ideológico. Ante tan extraordinario y espantoso descubrimiento, fray Tierno se siente en la obligación de propugnar una verdadera cruzada moral a fin de combatir el desorden innato de los instintos; el espectro de la decadencia greco-romana parece aterrorizarle tanto o más que a Blas Piñar o Federica Montseny. La defensa de los derechos de los homosexuales le llena de santo horror: «Lo mismo que no hay derechos específicos para otro tipo de alteraciones de lo que el consenso común llama normal, aquí tampoco debe haberlas. En esto los socialistas (*sic*) somos muy claros: nosotros defendemos posiciones que se refieren a un consenso generalizado acerca de lo que es bueno o malo». Esto es, a partir del hecho de que la opinión común o mayoritaria juzga que la homosexualidad es un mal, ésta tiene que prohibirse, lo que equivale a decir que, cuando la inmensa mayoría de las sociedades admitían la esclavitud o el colonialismo como un bien, éstos debían ser aceptados con entusiasmo por los socialistas de Tierno. Para el presidente del PSP, los criterios sociales son algo establecido de una vez para siempre y cualquier alteración de los mismos resultaría no sólo incongruente sino peligrosa, lo cual es una reflexión sumamente original viniendo de quien tan a menudo invoca el progreso social y la dialéctica de la historia. Pero prosigamos con sus estupendas teorías: «En las épocas de transición creemos que debemos defender actitudes claramente ascéticas: si empezamos a flaquear, a hacer concesiones y a romper determinadas limitaciones ascéticas, el proceso revolucionario se puede desgastar, romper y faltar a sus principios elementales... debemos apoyarnos en pilares indubitables y entender que todo lo que es ambiguo nos perjudica. No podemos admitir estas concesiones de derechos a fórmulas ambiguas de relaciones». Nada de flaqueza y concesiones a los bajos instintos: como monseñor Tihamer Toth, fray Tierno está absolutamente convencido de que los placeres sexuales embotan la mente, apagan la fe, endurecen el corazón y causan una muerte prematura y desdichada (prueba *a contrariis*, la longevidad del docto maestro). Pero el socialismo *sui generis* en que sueña resolverá en lo futuro las cosas: «En una sociedad libre, bien educada, en la que el psiquiatra y el psicólogo desde el principio están de acuerdo en las exigencias normales de la sociedad y en lo que ésta pide, este fenómeno desaparecerá o tenderá a desaparecer». ¿Cómo? ¿Mediante quimioterapia, electrochoques, castración, cárceles, campos de concentración, asilos psiquiátricos u otros métodos «perentorios», pero «comprensibles» de defensa social que tanto entristecen el corazón ultrasensible del profesor? ¿O gracias a un profundo tratamiento sicosomático que «entienda» el fenómeno y lo «corrija»? Fray Tierno, generosamente, se inclina por la segunda alternativa, pero no nos dice nada sobre el destino final de los casos perdidos, de quienes se muestren reacios a tan dulce y equitable tratamiento. Porque los autores del cuestionario han tenido la osadía de formularle la pregunta: «¿Aceptarías que tu compañera mantuviera relaciones con personas de ambos sexos?» (pregunta sumamente comprensible en el caso de que uno de los cónyuges estime que el acto sexual es meramente «cuaternario») y el docto profesor brinca literalmente en su asiento: «No, de ninguna manera, no es entendible. Desde mi punto de vista... esto responde a formas decadentes de la burguesía. En todas las experiencias históricas de la decadencia burguesa observamos lo mismo: crecimiento de la pornografía, desarrollo de los poemas o de la lírica erótica [¡por fortuna para nosotros, la «relación animal» no era para el arcipreste de Hita un problema «cuaternario»!], refugio en el placer por no encontrar otras apoyaturas sólidas, etc.».

Como Blas Piñar o el padre Venancio Marcos, fray Tierno fustiga la creciente liberación de nuestras costumbres con acentos dantescos. Las normas tradicionalmente acogidas por el consenso común son para él tan sagradas e inviolables como las leyes de Manú. La razón matrimonial fundada, dice, en «tentáculos ideológicos y vitales firmes», debe imponerse a los instintos o éstos nos llevan de cabeza a la sodomía, al *crimine pessimo*. La bisexualidad femenina no cabe en la mente luminosa y preclara del ínclito profesor de Salamanca. Imaginemos su horror ante las manifestaciones multitudinarias de mujeres que, desprovistas de tentáculos ideológicos firmes, proclaman alegremente a los cuatro vientos su abominable condición de adúlteras o la felación apoteósica de una pareja gaya durante las Jornadas Libertarias del parque Güell en presencia de doscientas mil personas y comprenderemos que, desde las alturas miríficas de su nueva cátedra parlamentaria, adopte el lenguaje y los raptos retóricos de un Savonarola: el hombre y la mujer, dice, deben ser «educados en el orden intelectual y sexual para que sus instintos estén de acuerdo con una cierta normativa, no para que las normas sigan a los instintos. De esta manera, si una mujer o un hombre no pueden reducir sus instintos al canon de lo que se entiende por el sentido mayoritario que es normal, si no saben mantener unos principios ascéticos para que sirvan de modelo generador y de ayuda al proceso revolucionario, es que no tienen energía revolucionaria y, por tanto, *eso es castigable, no tolerable*». Es decir, en el momento en que los movimientos de izquierda coordinan una campaña eficaz para poner fin a la legislación medieval y aberrante que penaliza el adulterio y aborto y abolir las monstruosas figuras delictivas sancionadas por la ley de Peligrosidad Social, fray Tierno, en nombre de una «misteriosa» energía revolucionaria, pregona *urbi et orbi* su santa intolerancia y sueña en castigos, sin duda alguna humanos y modernos, conforme a las inclinaciones delicadas de su corazón compasivo.

Pero detengamos aquí la exposición de esta ensaladilla rusovaticana o popurrí de ideas extraídas de Lenin y Tihamer Toth, del Opus y la Institución Libre de Enseñanza, del Talmud y los Padres de la Iglesia, para tocar, aunque sea a vuelapluma, el fondo del problema: el de la negación de los apetitos o realidades corporales en nombre de ideologías políticas o religiosas, que abstraen al ser de carne y hueso y lo someten a la opresión alienadora de alguna finalidad trascendente u omnímoda. Convertido en «cuerpo glorioso» (campo de batalla de demonios y ángeles) o simple instrumento productivo (al servicio de la acumulación capitalista burguesa o de la tecnoburocracia postestalinista) el hombre deviene así un robot o zombi, traumatizado y escindido de sus pulsiones más íntimas, ayuno de esa «animalidad» cuya reapropiación podría devolverle tan sólo la conciencia de existir en sí y para sí, y presa fácil por tanto de todas las tiranías. El sometimiento resignado a los criterios sexuales «productivos» de la sociedad desemboca, como ha visto muy bien Marcuse, en la aceptación de sus restantes dogmas y cánones. Frente a la entronización enajenadora del «despotismo de la industrialización» (y de las normas ascéticas ambrosianas o calvinistas), el impulso sexual impide precisamente que el hombre se convierta en una herramienta o máquina, y recupere, gracias a él su individualidad perdida. Las cruzadas moralizadoras han servido, sirven y servirán siempre a los intereses de quienes se plantean la problemática del hombre social en términos de poder; pero a ojos del común de los mortales —para quienes el sexo no es un asunto terciario o cuaternario— lo que verdaderamente cuenta no es el establecimiento de nuevas formas de gobierno —«duras y puras» a veces, pero que mantienen siempre la antinomia entre gobernantes y gobernados— sino la conquista de la felicidad corporal, espiritual, material. La existencia de un impulso sexual rebelde a la normatividad puritana de los teólogos y portavoces de la supuesta ideología progresista es pues un desafío saludable a los propósitos de quienes, en nombre de la Divinidad o de la nueva religión industrial, rehúsan tener en cuenta los deseos y aspiraciones de los hombres reales y concretos para transformarlos en un rebaño castrado y dócil sobre el que asentar su dominio. La consabida oposición entre libido y productividad no debe resolverse automáticamente en provecho de la última y, al buscar un equilibrio entre ambas, conviene recordar que un pueblo adulto, esto es, un pueblo cuyos miembros aprendan a disponer libremente de sus cuerpos, será un pueblo que aceptará difícilmente que se le impongan leyes y formas políticas opresoras.

La insípida papilla moral que hoy nos ofrecen los más conspicuos representantes de esa Corte de Milagros o Retablo de Maravillas del mal llamado «pensamiento español contemporáneo» podría ser descartada como un producto típico de nuestra incorregible fauna, si sus invocaciones a un «nuevo orden ascético» no hallaran eco en los oídos de quienes fácilmente pudieran dejarse tentar por los viejos demonios dormidos. Si, como dice el propio profesor Tierno Galván en su memorable entrevista, «el socialismo mal entendido es el opio de los pueblos», no cabe la menor duda de que el que nos propone es un hipnógeno infinitamente más poderoso —aunque menos eufórico y atractivo— que la famosa droga inmortalizada por mi admirado Thomas de Quincey.

TERCERMUNDISMO HOY

En un momento en que —rechazando el consejo de quienes, por razones de interés sórdido o en virtud de una espesa y peculiar metafísica, preconizan todavía el castizo ejercicio de contemplarse el ombligo— la gran mayoría de los españoles —desde los empresarios y tecnócratas ligados al Mercado Común hasta los defensores del eurocomunismo— aspiran a integrarse en la Europa democrática y se consideran al fin enteramente europeos, importa precisar con claridad y firmeza —y sin rechazar en modo alguno la justedad de dicho planteamiento— el significado actual del tercermundismo. Prácticamente liquidados los últimos residuos del colonialismo político y la intervención militar directa de las viejas metrópolis europeas y el imperialismo americano en Asia, Africa y América Latina, la vigilancia y combatividad de los partidos y organizaciones democráticas y de los intelectuales anticolonialistas que, en Europa y Estados Unidos, desempeñaron un papel tan significativo como importante en la solución de los conflictos argelino y vietnamita, parecen haber perdido su ímpetu, como nos muestra la indiferencia y falta de movilización popular de los países de Occidente ante el odioso baño de sangre de Tell-el-Zatar y el genocidio sistemático del pueblo palestino.

Abolidas las formas exteriores y más visibles del colonialismo de nuestros padres y abuelos, un sector importante de la izquierda de las sociedades industriales parece considerar que ha saldado ya su vieja deuda con los que Fanon denominara «condenados de la tierra», olvidando no sólo el saqueo, destrucción y exterminio en los que se funda el nivel de vida de aquéllas y su buena conciencia democrática y pluralista, sino también que, bajo nuevos disfraces y fórmulas, el saqueo, destrucción y exterminio *continúan*: sostén imperialista a los regímenes reaccionarios y tiránicos que mantienen a sus pueblos en la miseria, explotación y analfabetismo; venta de armas y cortina de silencio en torno a las matanzas de indios en el Brasil y al *apartheid* de los gobiernos racistas de Rodesia y Sudáfrica; lucha encarnizada por impedir la independencia económica de los pueblos y la libre disposición de sus riquezas; uso cínico de las mismas, al servicio de sus intereses y estrategias de dominación mundial.[1]

Ser tercermundista hoy significa proclamarse solidario con los países y pueblos que han sufrido la destrucción y asesinato de sus religiones y culturas, la confiscación de sus tierras, la eliminación o venta masiva de sus hombres durante varios siglos de «civilización» cristiana

1. En el actual embrollo del Líbano, asistimos a un plan de Washington, Tel-Aviv, Damasco y la derecha libanesa para aplastar con armas americanas y soviéticas, y la complicidad hipócrita del Kremlin, a la rebelde, inoportuna y molesta resistencia palestina, a fin de ponerla de una vez bajo la tutela siria y abrir así la gran negociación árabe-israelita que debe consagrar el triunfo de la estrategia de Kissinger y el equilibrio militar de las dos superpotencias.

y europea; significa asociarse a la lucha por la dignidad de quienes han soportado la violación de su pensamiento y morada vital por una ideología ajena y opresiva, al servicio de la explotación despiadada de Occidente; significa el sostén activo a los países que combaten por un nuevo orden económico mundial y a los centenares de millones de emigrados afroasiáticos que, víctimas del *desorden* actual, se ven obligados a vender su fuerza de trabajo y cosificarse en el engranaje alienador de nuestra mirífica economía capitalista; significa la denuncia del chauvinismo, racismo, eurocentrismo que, so capa de una presunta objetividad científica, tienden a negar los valores y obras de las razas y culturas distintas de la nuestra; significa admitir en fin que si los pueblos de estirpe europea se sitúan desde hace siglos en la vanguardia del progreso artístico, filosófico, técnico, social, económico y científico son, *al mismo tiempo*, la encarnación consumada y perfecta de las tendencias regresivas del hombre a la barbarie, crueldad y belicismo que existen y se manifiestan desde que el mundo es mundo.

¿Exageraciones mías? Desdichadamente, no: aunque si oímos hablar a menudo del peligro amarillo (al que el poeta bailarín Yevtuchenko dedica poemas apocalípticos que merecen los honores de la publicación en la *Pravda*) no escuchamos jamás ninguna referencia (cuanto menos entre nosotros) al *peligro mucho más real de los crímenes, devastaciones, rapiña, a nivel universal, de la multicentenaria hegemonía blanca*. Procedamos a un breve repaso de historia: ¿Quién creó la Inquisición?, ¿quién expulsó a centenares de miles de judíos y moriscos?, ¿quién borró del mapa a los pueblos indios del Caribe y de América del Norte?, ¿quién aniquiló las civilizaciones maya, inca, araucana?, ¿quién estableció la trata de esclavos negros

111

para reemplazar a la desdichada mano de obra india? —la civilizada Europa cristiana—, ¿quién repartió el planeta entre sus potencias como si fuese un pastel de aniversario?, ¿quién explotó, embruteció, humilló a árabes, africanos, hindúes, vietnamitas?, ¿quién impuso el consumo de opio a China? —Europa y nadie más que Europa—, ¿quién originó las dos guerras más bárbaras y mortíferas de la Historia?, ¿quién realizó el exterminio de varios millones de judíos?, ¿quién inventó los campos de concentración nazis y estalinianos?, ¿quién arrojó las bombas de Hiroshima y Nagasaki?, ¿quién martirizó a los pueblos de Argelia y Vietnam? —¿acaso Africa, Asia, Latinoamérica?—; ¿quién arma hoy a los verdugos del pueblo palestino?, ¿quién asesina todos los días en Soweto o Johannesburgo, en la que un día será República africana de Azania? —la avanzadísima raza blanca—. Frente a la lista interminable de monstruosidades y crímenes, los ejemplos de crueldad azteca, árabe o asiática parecen bastante modestos y artesanales. Sin embargo, los clisés son difíciles de extirpar, y muchos intelectuales humanistas y liberales, animados por el ejemplo de Ernest Renan o Menéndez Pidal, siguen fabricando bellas teorías que excusan y disfrazan con nobles pretextos civilizadores las empresas de conquista, opresión y despojo llevadas a cabo por sus paisanos.[2]

Rindámonos a la evidencia: un etnocentrismo solapado sigue configurando nuestra escala de valores y confiere un carácter secundario, casi nimio a la muerte de negros, árabes o de esos vietnamitas que la prensa estadounidense, al evocar la matanza de My Lai, denominaba con de-

2. Véase mi ensayo "Menéndez Pidal y el padre Las Casas", en *El furgón de cola* (segunda edición, Seix Barral, Barcelona, 1976).

licadeza inefable *Oriental human beings*. Si los medios de información de París, Londres o Nueva York manifestaron, con toda razón, sus sentimientos de horror y piedad ante la inmolación de Jan Pallach para protestar contra la intervención de los tanques rusos en su país, la muerte atroz de docenas de millares de vietnamitas o argelinos no suscitaba en ellos, salvo raras excepciones, una repulsa parecida. Probablemente porque, como decía Borges en una entrevista memorable, «los negros y asiáticos no sufren del mismo modo que *nosotros*».

Una doble escala de valores opera subrepticiamente para blancos y no blancos (y ni siquiera quienes se juzgan a sí mismos de izquierda se hallan inmunizados contra ella). En una reciente emisión televisada sobre la China de Mao, los telespectadores franceses, invitados a dar su opinión sobre los documentales que acababan de ver, parecían preocupados tan sólo (como el ya mentado Yevtuchenko) por el recuerdo de las antiguas invasiones tártaras y el peligro de una nueva «ola amarilla». La imagen aterradora de Gengis Kan reaparece como un inconjurable fantasma en las pesadillas digestivas de la burguesía occidental;[3] pero lo que a nadie se le ocurre pensar, no sé si sólo por ignorancia, es que su campaneada crueldad fue incomparablemente inferior a la de nuestros celebrados Reyes Católicos. (En el *Cancionero de burlas* se habla de la Castilla de 1500 en términos de «reino desconcertado»: como decía su editor londinense, el protestante Luis Usoz y Río, en respuesta a quienes siglos después se escandalizaban de ello, «en el año de 1483 se es-

3. Puedo citar el caso de una parienta lejana que, a los setenta años de edad y gravemente enferma, envió un mensajero al famosísimo padre Pío para averiguar dónde estaría más segura, en caso de invasión china, si en Francia o en España.

tableció por el Papa Vicario de Jesucristo, a petición de los Reyes Católicos, el Tribunal de la Inquisición, que sólo en el arzobispado de Sevilla condenó por herejes a más de cien mil personas, quemó vivas a más de cuatro mil y arrojó fuera del reino —después de haberlas robado— a más de cuatrocientas mil. Este no era *mucho concierto*, a lo menos para los quemados».)

Pero volvamos a la época actual y elijamos un ejemplo al azar: el mariscal Amin Dada, cuya figura ubuesca, de tirano y bufón, ha sido popularizada, con ironía e indignación virtuosas, por el cine, la televisión y prensa de nuestros democráticos países occidentales. Los atropellos de Amin Dada contra los asiáticos instalados en Uganda, su dictadura caprichosa, sus sangrientos métodos represivos, merecen, como es obvio, nuestra indignación y condena; pero dichas atrocidades, comparadas con las cometidas por Francia en Argelia o Estados Unidos en Vietnam, resultan ser de nuevo juego de niños: producto de arrebatos y cambios de humor de un individuo primario e inculto, no de la lógica fría y eficiente de cerebros políticos y consejeros militares con diplomas de Yale o la Sorbona, excelentes ciudadanos y padres de familia, imbuidos —cómo no— de profundas convicciones democráticas. En cuanto al carácter grotesco del personaje —que es la delicia de nuestros periodistas y fotógrafos—, dicha estimación me parece casi siempre unilateral y etnocentrista. Cuando Amin Dada se hizo llevar en andas por cuatro hombres de negocios británicos, la escena suscitó un coro de protestas y burlas. Vista desde una perspectiva africana, la imagen, no obstante, era *bella y liberadora*, el desquite visual de varios siglos de humillación e injusticia impuestos por el colonialismo europeo: en la sala de cine donde la vi, el público, compuesto casi todo de árabes y negros, prorrumpió en violentos aplausos. Lo mismo podríamos decir de la afición infantil de Amin a las medallas y uniformes (aunque en este punto, Brejnev y los mariscales soviéticos le llevan notable ventaja): a ojos de un africano (e incluso de un europeo sin anteojeras) toda esa pompa y ceremonia irrisorias resultan menos cómicas y absurdas que las que acompañan las procesiones vaticanas o envuelven la coronación de los Reyes de Inglaterra.

Ser tercermundista es poseer la capacidad (bastante difícil, a lo que parece) de abandonar la perspectiva eurocéntrica (o natocéntrica, para incluir a todos los países del Pacto Atlántico) de los hechos, y medir con el mismo rasero los actos y empresas de los blancos y de los chinos, hindúes, árabes o negros. Hace menos de veinte años, a quienes vivíamos en la dulce Francia nos tocó ser testigos de la campaña de terror desatada contra la clase obrera argelina —detenciones, redadas, toque de queda, asesinatos, insultos racistas— en medio de la casi total indiferencia de la población parisiense y la falta de solidaridad práctica de los sindicatos y partidos de izquierda con el pequeño grupo de intelectuales que la defendían. Sólo después de verter ríos de sangre *ajena,* cuando el país advirtió la muerte de sus *propios hijos* —los manifestantes muertos a tiros en la estación de Metro Charonne—, reaccionó, al fin, masivamente, e impuso al Gobierno gaullista la liquidación de la guerra.

Las diferencias de criterio entre los crímenes y atropellos cometidos con europeos y los realizados contra otras razas merecen ser examinados con atención, como hizo el poeta martiniqués Aimé Césaire en su admirable, y siempre actual, *Discours sur le colonialisme*:

«Sí, valdría la pena estudiar en detalle, clínicamente,

115

los pasos de Hitler y el hitlerismo y revelar al muy distinguido, muy humanista, muy cristiano burgués del siglo XX, que lleva dentro de él un Hitler que él mismo desconoce: que Hitler *vive en él*, que Hitler es su *demonio;* que si lo censura es por falta de lógica, pues, a fin de cuentas, lo que no perdona a Hitler no es el crimen en sí, *el crimen contra el hombre; no es la humillación del hombre en sí,* es el crimen contra el hombre blanco, y el haber aplicado en Europa los métodos colonialistas reservados hasta entonces a los árabes de Argelia, los coolíes de la India y los negros de Africa».[4]

Tras ofrecer al lector una breve y edificante antología de textos sobre la conquista de los imperios coloniales del siglo XIX —similares en su horror a los escritos por fray Bartolomé de las Casas—, el gran poeta negro concluye: «Nadie coloniza inocentemente, nadie coloniza impunemente; una nación que coloniza, una civilización que justifica el colonialismo —esto es, la fuerza—, es una civilización enferma, una civilización moralmente contaminada que, de modo irresistible, de consecuencia en consecuencia, de renuncia en renuncia, reclama su Hitler, es decir, su castigo».

La gangrena moral que amenaza a los pueblos de Europa y de América del Norte no es un fenómeno del pasado. Obligado a retroceder en razón de la toma de conciencia de las masas del Tercer Mundo, el «peligro blanco» no ha desaparecido, no obstante, y puede manifestarse en cualquier ocasión con fría, calculada violencia: ante la amenaza de un nuevo embargo petrolero o, simplemente, de un aumento de precio del barril de crudo, los Gobiernos y Estados mayores de Occidente discuten

4. Ed. Présence Africaine (París, 1955).

ya la posibilidad de lanzarse a alguna operación de *blitz-krieg* destinada a defender los sacrosantos valores de nuestra civilización cristiana.[5]

Ser tercermundista significa hoy denunciar la hipocresía e injusticia de dicha postura, es recordar a estos calenturientos patriotas que los países subdesarrollados tienen el mismo derecho a disponer de sus bienes que nosotros de los nuestros, y que pueden reaccionar, por tanto, a la subida unilateral de los precios de los artículos que importan de los países industriales con un aumento proporcional de los suyos.

No estoy hablando de eventualidades remotas, sino de un peligro real y próximo, como lo muestra la sutil preparación psicológica, el continuo lavado de cerebro de los *mass media* de Occidente. Citaré un ejemplo entre ciento: en uno de los últimos episodios de Tarzán publicado en los *comics* norteamericanos, el héroe ha abandonado ya su tutela paternalista sobre los habitantes de la selva (una exigencia de la política de integración inaugurada por Kennedy) y, con la ayuda de una niña negra (como los seriales televisados, donde el protagonista siempre tiene ahora un adjunto «de color»), combate a unos nuevos y malvados enemigos: individuos con turbante, bigote y nariz ganchuda, que recorren el desierto a lomo de camello.

5. El reciente "raid" israelí al aeropuerto de Entebbe y la publicidad de que ha sido objeto nos induce a pensar que se trata tan sólo de un modesto ensayo de la nueva y más brillante operación que se prepara.

Ser tercermundista será, pues, oponerse desde ahora, en nombre de la solidaridad con los oprimidos, a los inspiradores y agentes de la nueva cruzada de Tarzán.[6]

6. Esperando la gran cruzada contra el árabe, algunos representantes de la oligarquía canaria parecen haberse lanzado por su cuenta a una "cruzadita" destinada a buscar una cabeza de turco a los males creados por su despiadada explotación de las islas: las colonias hindú y marroquí. Nuevo botón de muestra de esta lamentable campaña de prensa, el artículo titulado "¡Que viene el moro!", contiene, entre otras muchas, las siguientes enormidades: "La riqueza que hemos creado —dice un conocido industrial canario— la están logrando estos moros faltos de escrúpulos. Engañan y roban. Las islas Canarias, que eran un paraíso (¿para quién? Sin duda alguna, no para los obreros y campesinos. J.G.) se están colocando en una situación peligrosísima. (...) El marroquí atropella al turista. Entre la Península y Canarias se interpone una nación: Marruecos. No estamos dispuestos a permitir una marroquinización. Nos iríamos antes a otro país, donde se nos echara un capote. Culturalmente no somos moros, sino europeos. No podemos empezar a adorar a Alá". (...) "Aquí no vienen más que a armar camorra, a templarse, a hacer mariconadas, a vender droga y a ligar con las chicas" —nos cuenta, muy airado, el encargado de una discoteca—, etcétera. Una tal avalancha de insultos racistas repite, con pocas variantes, las que vertía la prensa hitleriana contra los judíos, y confirma las palabras del poeta Césaire.

«JUDIOS, MOROS, NEGROS, GITANOS Y DEMAS GENTE DE MAL VIVIR...»

La reciente constitución, aireada por la prensa, del llamado Partido Racial Democrático,[1] a cuya existencia y objetivos dedicaba *Blanco y Negro* un amplio reportaje informativo, no ha suscitado, como era de prever, la menor reacción de protesta o alarma por parte de los flamantes o antiguos, autorizados o semiclandestinos partidos de oposición, demasiado ocupados hoy a lo que parece en adaptarse a las reglas del juego «democrático» impuesto desde las altas esferas del gobierno y en acampar aprisa y corriendo en el inhóspito, inseguro, escasamente viable terreno de una dudosa legalidad.

Digo «como era de prever», pues una de las leyendas más extendidas entre los españoles de izquierda —y que sacamos a relucir a menudo de cara a los franceses y, sobre todo, norteamericanos— es la de ser el pueblo es-

1. Indice de los tiempos que corren, la inflación vertiginosa, seguida de la devaluación completa, de la palabra "democracia". Si el señor Fraga es demócrata, si el señor López Rodó es demócrata, si el señor Ricardo de la Cierva es demócrata, etc., etc., resulta perfectamente lógico que quienes se proclaman públicamente racistas se autotitulen igualmente demócratas.

pañol profundamente antirracista y ajeno por tanto a los sentimientos de xenofobia que, en países más avanzados que el nuestro, desembocan en las consabidas *ratonnades* o en la «justicia expeditiva» a lo Lynch. A decir verdad, podría argüirse a quienes orgullosamente esgrimen dicha leyenda, que, si no somos racistas —y sobre ello volveremos más adelante— se debe ante todo al hecho de que España fue el primer país moderno que «resolvió» de modo tajante el problema de las razas, acosando, persiguiendo, robando y expulsando por fin masivamente a moros y judíos, a fin de proteger la pureza sin mácula de la casta mayoritaria. Dicha política racista —velada apenas por el imperativo de la unidad religiosa— no concluyó por otra parte como muchos creen, con los infames decretos de expulsión de 1492 y 1609, puesto que los desdichados conversos fueron hostigados sin tregua durante siglos y millares de ellos murieron o dieron con sus huesos en las piras o cárceles del Santo Oficio. Todavía en 1800, los descendientes de moriscos, judíos, negros, indoamericanos o guanches tenían vedado el acceso a los Colegios Mayores universitarios y en la academia militar de Toledo los estatutos de limpieza de sangre se mantuvieron en vigor hasta bien entrado el reinado de Isabel II. Hablar pues en estas condiciones de ausencia de racismo equivale a celebrar las cualidades de sobriedad, morigeración o templanza de un pueblo abstemio tras varios siglos de rigurosa aplicación de la ley seca. Personalmente, a juzgar por la raigambre de las expresiones antisemitas en el lenguaje de la comunicación ordinaria —«judío» como sinónimo de rapaz, «judiada» por mala pasada— opino que si en España no ha habido explosiones de racismo o chovinismo, esto se debe menos a una particular virtud nuestra que a la falta de objeto idóneo, en términos numéricos, sobre el que volcar nuestra saña.

Encogerse de hombros ante la constitución del PRD o descartarlo como una broma de mal gusto significa desconocer los impulsos latentes de racismo y xenofobia de una buena parte de nuestra población, educada al calor de las doctrinas integristas y fascistoides del tipo de Fuerza Nueva y otros grupos ultras, cuyos complejos y fobias racistas no son un secreto para nadie. Quienes no se equivocan al respecto —*et pour cause!*— son los miembros de la única minoría existente entre nosotros desde tiempos inmemoriales y para la que el desprecio y discriminación de los «payos» es, desdichadamente, pan de todos los días: me refiero, claro está, a la comunidad gitana.

Al divulgarse la noticia de la creación del PRD, la asociación para el Desarrollo Gitano solicitó una audiencia al jefe del gobierno a fin de exigir la prohibición de aquél y hacer un llamamiento sobrio y digno, a la opinión pública que, en razón de nuestra actual sordera a todo lo que no toca a las incidencias del cabildeo político, no ha despertado, para vergüenza nuestra, el menor eco de simpatía.

«Los gitanos queremos hacer oír nuestra voz ante una situación que nos atañe, puesto que pretende, nada menos, que nuestra expulsión de España —declaraba la asociación. El PRD puede ser numéricamente poco importante como grupo racista, pero pensamos sin embargo que su actitud hacia los gitanos es la floración del racismo llevado hasta sus últimas consecuencias y que, en uno u otro grado, está latente en gran parte de la población no gitana española... Queremos recalcar —concluía el comunicado— que ideologías como la del PRD fueron las que llevaron al exterminio de cerca de 250.000 gitanos europeos, junto con judíos y otras minorías étnicas, hace algo más de treinta años.»

Si la «marginación sufrida durante siglos» a la que aluden los autores del llamamiento y los «prejuicios que existen hoy sobre los gitanos» dificultan gravemente su «decidido propósito» de incorporarse a la sociedad, pese al hecho indiscutible de ser, como subrayan, «españoles de pleno derecho», no será necesario un gran esfuerzo de imaginación para representarse los problemas con que tropiezan en España otras minorías de implantación reciente, como son los desdichados guineanos fugitivos del régimen de terror de Macías o los quince mil marroquíes que, durante el período de vacas gordas de la última década, han venido a la Península a realizar aquellos trabajos ingratos, para los que no hay ya —o cuando menos no había hasta la actual crisis— brazos disponibles. Problemas que como dice muy bien Jaume Comellas en un artículo titulado significativamente «La caza del moro»,[2] encuentran su exacta definición en «la palabra persecución en todos sus niveles —laboral, legal, cultural, económico, etc.». La «hostilidad ambiental», el «racismo inmanente» que aísla al marroquí y lo califica de «delincuente *per se*» erigen, añade el articulista, «un cordón sanitario ideológico de extremada dureza» que da al traste con nuestras insostenibles pretensiones de cara a la galería de pueblo hospitalario, generoso y maduro, inmune por tanto a esos sentimientos de xenofobia y chovinismo que tanto nos indignan cuando se manifiestan en Francia y, en especial en el lejanísimo suelo de Norteamérica.

2. *Destino*, 30-9-76.

El aborrecimiento instintivo al «moro», alimentado a lo largo de décadas por los malos recuerdos de nuestras odiosas y estúpidas empresas coloniales y la utilización por los franquistas de míseros mercenarios rifeños durante la guerra civil de 1936-39, es una enfermedad bastante extendida incluso entre quienes se declaran de izquierdas y aún revolucionarios, según he podido verificar a menudo en mis lecturas y conversaciones.[3] Si la actual identificación masiva de la opinión pública española con la causa independentista del Polisario obedece en gran parte, en el campo de la oposición, a la «mala conciencia» de ésta ante el hecho innegable de no haber intervenido en el asunto sino cuando la suerte del Sáhara estaba ya echada, tratándose de sectores tradicionalmente conservadores y reaccionarios, tengo la vehemente sospecha de que, tras su sorprendente defensa del saharaui, se encubre, simplemente, una mezcla irracional de rencor, miedo, desprecio y aversión hacia el «moro». ¿Imaginaciones mías? Por desgracia no, y me bastará con citar, entre otros muchos, dos ejemplos tan pintorescos como elocuentes: el autor de un artículo sensacionalista, aparecido en un semanario de derechas, sobre la presunta «invasión alamita» de las Canarias, pillado en flagrante delito de xenofobia, no vaciló en presentar su acumulación de inepcias y opiniones injuriosas a la dignidad de los emigrantes marroquíes, ¡como «un apoyo a la lucha de los saharauis»!; en un reportaje consagrado a la evocación de la etapa final de la presencia española en El Aaiún, otro periodista describía la siguiente escena: «Todos

3. Tengo entre mis papeles una sabrosa antología de frases con connotaciones claramente racistas pronunciadas por personalidades de la izquierda oficial que cuadrarían perfectamente en boca del señor Blas Piñar y sus amigos de Fuerza Nueva.

recordamos la ocasión en que un grupo de legionarios, con un capitán al frente, y con algo más de alcohol del debido en la sangre, comenzaron a gritar una tarde, mientras se celebraba uno de los mítines [de los marroquíes]: ¡Viva el Polisario! ¡Marroquíes, hijos de p...!».[4] Para quienes no se resignan aún al abandono de nuestras posesiones norteafricanas —y su triste mercado de ascensos, dietas, medallas y cruces—, los emigrados marroquíes que buscan ingenuamente una Suiza en nuestro suelo son el chivo emisario ideal sobre el que pueden verter, sin grandes riesgos, su frustración, su mala leche, su bilis. Esta es la amarga realidad, y antes de discernirnos, de puertas afuera, ficticios diplomas de antirracismo, haríamos mejor en atender, dentro, a la opinión de quienes podrían hablar sobre el asunto con verdadero conocimiento de causa.

Una lista de los atropellos, violencias policíacas, insultos, caricaturas groseras de que son víctimas las minorías árabes y africanas que malviven y saldan su fuerza de trabajo en España sería inacabable y excedería los límites del presente artículo. Antes de concluirlo, quisiera, con todo, formular un deseo a la vez que una sugestión: invitar a la redacción y lectores de *Destino* a establecer una tribuna periódica destinada a denunciar los casos de violación de los derechos humanos más elementales, como la de que es víctima, por ejemplo, el obrero Mohamed Ranet, encarcelado en Carabanchel desde hace meses, después de haber sido despojado de sus ahorros por una banda de desaprensivos.[5] Conceder la palabra a gitanos, marroquíes, guineanos, y demás gru-

4. "Los últimos días españoles en el Sáhara", *El País*, 7-11-76.
5. Sobre este escandaloso ejemplo de injusticia, véase "Llevar dinero es sospechoso", en *Opinión* del 10-12-76.

pos marginados y perseguidos sería sin duda un medio eficaz de combatir el racismo latente que anida en nuestro país y evitar así la gangrena moral con que el PRD y otros grupos racistas nos amenazan.

EL LUTE A LA CALLE

En un artículo publicado en *Triunfo* el pasado año, Fernando Savater alzaba su voz, en solitario, contra esa concepción solapadamente clasista que, de cara a la exigencia nacional de la amnistía, traza una neta distinción entre presos comunes y políticos, dejando de lado a los primeros y solidarizándose de modo exclusivo con los últimos. La opinión del articulista causó escándalo y, como era de esperar, los filisteos de la izquierda se rasgaron las vestiduras. ¿Abnegados luchadores, dignos idealistas confundidos con criminales? ¡Todavía hay clases, señor Savater! Clamores de ultrajado honor, mohines de noble disgusto que muestran una vez más la vigencia de aquel célebre «juntos sí, pero no revueltos» que ha servido y sirve de base a todos los *apartheids*.

Sin detenerme ahora a considerar las circunstancias emocionales que abonan y excusan dichas reacciones —pienso sobre todo en la grosera asimilación que llevó a cabo el franquismo de la oposición política armada a los delitos de «bandidaje y terrorismo», amalgama que permitió por ejemplo, hace sólo cuatro años la ejecución por garrote vil de Salvador Puig Antich—, señalaré con todo que escamotean el elemento esencial del problema: el carácter exclusivamente político de gran número de los «crímenes» cometidos por los presos «comunes» —no sólo ya de las presuntas figuras delictivas de adulterio y aborto o la aberrante calificación de la homosexualidad adulta como un caso de «peligrosidad social», sino también de aquellos actos de delincuencia que son resultado directo de unas realidades y estructuras abiertamente injustas y opresivas. En mi opinión, tales actos de violencia deberían incluirse en un apartado de «rebeldía social» y disfrutar de la misma cobertura ideológica que invocan, con razón, los presos políticos. Sus autores no serían entonces criminales, sino *presos sociales,* y a título de tales se beneficiarían de la actual campaña nacional en pro de una total y completa amnistía.

La publicación en *El País* de las memorias, poemas y dibujos de El Lute ha centrado de nuevo la atención pública en torno a la figura del hombre que fuera presentado por la prensa del franquismo como «asesino despiadado» y «enemigo público número uno»; pero es en una carta dirigida a *Posible* —carta sacada de matute del penal de Cartagena por un compañero de detención recientemente amnistiado y que dicho semanario reprodujo el pasado abril— donde, con sencillez e inteligencia realmente admirables, Eleuterio Sánchez aborda el problema que nos ocupa en unos términos que deberían ser objeto de reflexión por parte de cuantos nos interesamos en la causa de la justicia y libertad en la Península.

En su misiva, El Lute apunta con razón a la manipulación de que ha sido objeto su caso por la prensa sensacionalista a fin, dice, de «hacerme odioso y por lo tanto acreedor del más despiadado castigo». Frente a un «alud de noticias tendenciosas que no encierran siquiera una verdad», observa, toda tentativa de rectificar resulta inútil. El propósito de los programadores de la información consiste, como es obvio, en crear una imagen-espantajo de la víctima designada, imagen que debe pegarle a la piel y acompañarle, si es posible, a la sepultura. Aunque desamparado e impotente, Eleuterio Sánchez no trata en ningún momento en su carta de excitar la piedad y ganarse así las simpatías del público: su defensa no es en modo alguno emotiva, y ante su injusta e insultante inclusión en la galería de «asesinos famosos» del Museo de Cera de Madrid, se limita a pedir sobriamente que, en la medida en que jamás ha matado a nadie, «si los responsables de dicho Museo se empeñan en que figure en él, que sea, pues, como miembro famoso de la minoría étnica conocida por el nombre de quinqui, y no como asesino célebre».

Mirando atrás no con ira, sino con gran lucidez, El Lute traza las coordenadas de su propio caso a la luz de dos problemas distintos si bien estrechamente conectados: el de su raza (una etnia marginada y perseguida) y clase social (un subproletariado privado de sus medios tradicionales de trabajo y obligado, para subsistir, a vivir de expedientes). Su argumentación impresiona y, para comentarla de modo adecuado, nos veremos obligados a copiar algunos párrafos de la misma, de lo que me excuso de antemano con el amable lector de la revista.

«No es un secreto para nadie —escribe Eleuterio Sánchez—, aunque muchos se niegan a admitirlo, que los quinquis formamos una minoría marginada. No tenemos el mismo origen que el pueblo gitano, que ya existía como etnia cuando empezó su migración. Pero por razones histórico-sociales a lo largo de varios siglos y en el marco de la Península Ibérica, nos hemos desarrollado de tal modo en un medio cerrado y endógamo, que ahora somos una raza con rasgos peculiares: físicos, culturales, sociales, laborales, etc., que sólo nuestro desfase con la cultura cristiana dominante nos impide hacer valer como conviene. Pero, no por ignorarnos, no existimos.»

El Lute pone aquí el dedo en la llaga, en cuanto plantea un problema ante el que nuestra izquierda ha preferido hasta ahora cerrar los ojos: me refiero a la despiadada persecución de que son víctimas las minorías gitana y quinqui; hostilidad ambiental, racismo inmanente que establece alrededor de ellas un eficaz cordón sanitario y se traduce en una discriminación laboral, cultural, económica, etc., que denunciaba recientemente la Asociación para el Desarrollo Gitano. Los prejuicios acumulados durante siglos convierten a sus miembros, de modo casi automático, en delincuentes *per se* y desmienten nuestras ridículas pretensiones de ser inmunes a la xenofobia y chovinismo que tanto nos indignan siempre y cuando se producen fuera de nuestras fronteras. A ello deberíamos agregar el hecho de que las profundas transformaciones estructurales de los últimos veinte años —despoblación del campo, proletarización urbana, abandono de las antiguas formas de trabajo familiar y artesanal, etc.—, se han manifestado con mayor dureza y dramatismo en lo que respecta a estas dos etnias secularmente perseguidas:

«En mi caso concreto —que puede servir de muestra para la problemática quinqui— llegué a cometer un delito en contra de las leyes «payas» cuando, bajo presiones exteriores, estalló mi medio tradicional de vida [...]. Por motivos totalmente ajenos a nosotros [...] nos vimos despojados de nuestro habitual trabajo —reparaciones de

129

enseres metálicos— y arrojados de nuestro mundo, para ser luego duramente perseguidos hasta ser arrinconados en una chabola en el cinturón de miseria de cualquier capital industrial del país, y en cuyo lugar el problema de la supervivencia se nos planteó de forma tan aguda como imperiosa, sin que nuestra estructura tradicional nos sirviera para resolver los problemas. Sin trabajo —sólo sabíamos hacer un trabajo artesanal—, analfabetos en medio hostil, nómadas que por la fuerza se hacen sedentarios, ¿qué podía ser de nosotros en semejantes condiciones?»

El enfoque objetivamente racista de nuestro código social propicia la formación de ghettos en los que gitanos y quinquis, arrastrados allí por la presión disgregadora de la política de desarrollo a ultranza del capital monopolista español, no tienen más remedio que enfrentarse a la silenciosa y omnímoda violencia legal con las manos desnudas. Dicha autodefensa desesperada contribuye, como es lógico, a reforzar la imagen racista de gitanos y quinquis como sujetos socialmente peligrosos y justifica de rebote las enérgicas medidas de protección de la comunidad «amenazada» —círculo vicioso de odio y temor, que amplía todavía el foso abierto entre las minorías sospechosas y la sociedad «paya», al tiempo que condena a las primeras a una muerte inexorable por asfixia. Pero dejemos la palabra a El Lute:

«Basta echar una ojeada a una estadística penitenciaria para ver el gran número de quinquis que, en los últimos años, fueron enviados bien al verdugo, bien al presidio, para comprender que el delito no es un fenómeno individual, sino el resultado de una determinada segregación y persecución, bien con una etnia, bien con unas clases sociales. Sirva de ejemplo la realidad negra en USA.»

La referencia a Norteamérica no es gratuita ni mucho menos: si las minorías gitana y quinqui son muy inferiores en términos cuantitativos a la población de color estadounidense, cualitativamente hablando el problema de su marginación es el mismo. Ciclo implacable de violencia, acoso legal, linchamiento moral y a veces físico que empuja a los mejores individuos de las comunidades perseguidas a una «delincuencia» que es en realidad una forma de rebeldía apolítica. Los casos de Malcolm X, de George Jackson son un buen ejemplo de lo que digo y nadie puede dudar hoy que el de Eleuterio Sánchez es de la misma especie. En uno y otros hallamos el mismo anhelo de dignidad, la misma toma de conciencia de cara a un pasado cruel que se les impuso desde fuera, la misma reflexión penetrante acerca de la tragedia de su pueblo, el mismo proceso de politización y enfrentamiento a unas estructuras de poder injustas, responsables directas de su sufrimiento y humillación.

Atrapada en el engranaje electoralista hábilmente montado por el gobierno, la izquierda oficial no se ha detenido a reflexionar hasta hoy en la existencia de ghettos en los que centenares de miles de compatriotas secularmente perseguidos y marginados por motivos de raza, cultura, sexo, etc., comienzan a tomar conciencia de su condición y a oponerse a los criterios de normatividad del *establishment* con poderosa fuerza centrífuga. En la actual carrera —mejor sería hablar de arrebatiña— por puestos vacantes de diputado o senador de la Monarquía, la voz de Eleuterio Sánchez —voz no sometida a las reglas del cálculo ni adaptada a los intereses y conveniencias del momento— corre el riesgo —en razón de su escasa rentabilidad— de pasar inadvertida. Pero en cuanto expresa una realidad inasimilable a las nuevas coordenadas de programación del sistema desafía, por su misma marginalidad, las presuntas bases comunes en que aquél se asienta y nos recuerda la vigencia de una serie de aspiraciones de igualdad y justicia escamoteadas por el juego político. Cuando el actual acuerdo tácito entre el Poder y la oposición se traduce en la práctica en la decisión común de preservar la «paz social» a lo largo del difícil período de transición a la democracia, resulta más necesario que nunca atender a discursos que, como el de El Lute, *nos señalan los límites, tan angostos como precarios, de la nueva legalidad.*

«Mi opinión es que la delincuencia —máxime la que brota de las chabolas o casas-colmenas— es siempre fruto de una determinada estructura social que al rodear de un ambiente negativo a la juventud, proporciona las condiciones idóneas para la eclosión de la delincuencia como si de un caldo de cultivo se tratara. La despolitización, el individualismo a ultranza, la marginación, son otros tantos factores que aliados a la cultura alineante-dominante empujan al joven a la delincuencia tipo "desesperado". No debemos olvidar que la delincuencia común no es más que una rebeldía despolitizada en contra de una sociedad que sólo considera al hombre como producto de la plusvalía y en cuyo seno la juventud no tiene sitio. Sólo enfocando la delincuencia de este modo, se la puede comprender y erradicar: no con la pena de muerte, rápida o lenta.»

Al brindarnos su testimonio sobre el tema, Eleuterio Sánchez ha escrito un texto sumamente lúcido y esclarecedor, cuya fuerza y sinceridad lo sitúan muy por encima de la retórica profesional y fiambre de la clase política española, *un texto que politiza de modo retroactivo su actividad «criminal» anterior y que, al confundir los*

límites entre delito político y común, realiza una opera-
ción diametralmente opuesta a la del franquismo cuando
despojaba de su motivación ideológica a la lucha violenta
contra el régimen y la asimilaba a la delincuencia ordina-
ria. La distinción reclamada a aquél por la oposición
democrática aparece así insuficiente y caduca a la luz
del nuevo planteamiento. El Lute es hoy —digámoslo bien
alto— un preso político, y sólo las personas imbuidas de
prejuicios sociales y racistas se atreverían a negarlo.

Gracias a la modesta apertura de los medios de información, los españoles hemos podido enterarnos con
suspenso y maravilla de la saga familiar de algunos altos
personajes del franquismo como el excelentísimo señor
don José Antonio Girón de Velasco. El león de Fuen-
girola disfruta de un buen merecido reposo en sus vastos
dominios, y no tenemos nada que objetar al respecto.
Pero, pensando en quienes, a causa de un delito menor,
cumplen condena como El Lute entre los muros de un
penal cualquiera, nos descubrimos de nuevo en el centro
de esa interminable pesadilla inmóvil que fue la dictadura de Franco e inútilmente tratamos de despertar fre-
gándonos con insistencia los ojos.

La amnistía que reclama el pueblo español debe ser
total y completa, conforme a la nueva frontera trazada
por el firme alegato del célebre quinqui. Reducirla a los
confines clasistas de quienes dispusieron de entrada de
un instrumento cultural de oposición ideológica, sería
social y humanamente injusto y lamentable. La política
se extiende más allá del terreno de quienes han podido
pagarse a tiempo una conciencia política, y si la palabra
justicia tiene todavía algún sentido, Eleuterio Sánchez
Rodríguez debe salir a la calle.

LOS REFRANES DE LA TRIBU

> "Quan sera brisé l'infini servage de la femme, quand
> elle vivra pour elle et par elle, l'homme —jusqu'ici
> abominable— lui ayant donné son renvoi, elle sera
> poète, elle aussi: la femme trouvera l'inconnu! Ces
> mondes d'idées différont des nôtres? Elle trouvera
> des choses étranges, insondables, repoussantes, déli-
> cieuses, nous les prendrons, nous les comprendrons."
>
> ARTHUR RIMBAUD

Las respuestas de Susan Sontag al cuestionario sobre
la liberación de la mujer publicadas en la difunta revista
Libre[1] y que, con más de cuatro años de retraso «admi-
nistrativo», aparecen por fin en la Península en el número
de enero de *Ozono,* abordan con la inteligencia y agudeza
características de la gran ensayista norteamericana un
punto clave para la comprensión del *status* servil e inferior, de esclavo o animal doméstico, en que ha vegetado
el «segundo sexo» desde la noche de los tiempos: me
refiero a la apropiación machista del idioma, a una
aberrante clasificación de los géneros impuesta por el uso
secular de la lengua, que no sólo disimula la presencia
de la mujer fuera del minúsculo territorio de las actividades «específicamente femeninas», sino que la asimila
siempre, independientemente del número y cualquier otra
circunstancia, al sexo opuesto, al confundir las nociones
dispares de «varón» y «ser humano» en un término

1. La encuesta fue dirigida a un grupo de escritores y mujeres públicas (empleamos aposta el adjetivo, deslastrado de sus connotaciones machistas), entre las que figuraban Françoise Giroud, Rossana
Rossanda, Susan Sontag, Jean Franco y otras.

A LA MUJER CASADA, EL MARIDO LE BASTA. Ref. que da a entender que la mujer buena no debe complacer sino a su marido. [Y, a la inversa, el marido bueno a su mujer, pero este refrán no figura en el Diccionario de la Real Academia, tal vez porque lo de marido bueno huele a manso o consentido, e invita a la cornamenta.]

A LA MUJER CASTA, DIOS LE BASTA. Ref. que enseña que Dios cuida particularmente de las mujeres honestas. [De las otras se cuidan los hombres, en especial los rufianes o alcahuetes.]

A LA MUJER LOCA, MAS LE AGRADA EL PANDERO QUE LA TOCA. Ref. que censura en la mujer el afán inmoderado de divertirse. [Este afán, como es obvio, debe ser atributo exclusivo de los varones.]

A LA MUJER Y A LA MULA, POR EL PICO LES ENTRA LA HERMOSURA. [La comparación es sumamente caballeresca y evoca una realidad en vías de extinción en España, pero siempre actual en la mayoría de países de Hispanoamérica, en donde la esposa es mula de día y mujer de noche.]

A LA MUJER Y A LA PICAZA, LO QUE VIERES EN LA PLAZA. Ref. que acusa a las mujeres de poco aptas para guardar secretos. [Lo que implica que debe ser mantenida, como los niños y los idiotas, al margen de los problemas importantes, coto vedado de los varones.]

A LA MUJER Y A LA VIÑA, EL HOMBRE LA HACE GARRIDA. Ref. que da a entender que en la galanura y buen porte de la mujer se conoce la estimación que hace de ella su marido, así como se conoce en la lozanía de la viña el cuidado del amo [La ecuación amo-marido, pone de relieve el carácter de bien semoviente de ésta, simple objeto pasivo del dominio y voluntad del varón.]

CON LA MUJER Y EL DINERO NO TE BURLES,

COMPAÑERO. Ref. que enseña el cuidado y recato que se debe tener con el uno y con la otra. [De nuevo la concepción de la mujer en cuanto bien, ahora fungible, que hay que preservar del peligro, pues se pierde con facilidad.]

LA MUJER ALGARERA, NUNCA HACE LARGA TELA. Ref. que advierte que la mujer que habla mucho, trabaja poco. [Donde se invita a la mujer a la mudez por aquello de que el silencio es oro, y se dejan los privilegios del discurso en la boca prudente de los varones, que, como es sabido, jamás hablan por los codos.]

LA MUJER BUENA DE LA CASA VACIA HACE LLE-NA. Ref. que ensalza, por lo que hace prosperar la casa, el orden y economía de la buena madre de familia. [La noción de gobernanta encubre a fin de cuentas su escueta realidad de ser doméstico, de criada que trabaja de balde. La mujer buena es, por otra parte, sinónimo de madre de familia, recluida en el hogar, en contraposición a la perdida o mala que se echa al mundo.]

LA MUJER DEL CIEGO, ¿PARA QUIEN SE AFEITA? Ref. que vitupera el demasiado adorno de las mujeres con el fin de agradar a otros más que a sus maridos. [Lo mismo podría decirse de los varones, pero el refranero se guarda muy bien de hacerlo. En cuanto a la ceguera como sinónimo de estado marital, refleja con nitidez la triste realidad del matrimonio católico, en el que el marido se ciega y deja de ver a la mujer en términos de hembra para sublimarla en calidad de madre, y reserva el don de la vista y de los restantes sentidos corporales para las de la vida, perdidas o mundanas.]

LA MUJER DEL VIÑADERO, BUEN OTOÑO Y MAL INVIERNO. Ref. que da a entender que como la subsistencia de las mujeres depende comúnmente del oficio u ocupación del marido, lo pasa bien la del viñadero en la época en que éste gana. [El *status colonial* de la esposa con respecto al marido se traduce de nuevo en términos de resignación e impotencia ante la buena o mala gestión por éste de los asuntos de economía y gobierno.]

LA MUJER HONRADA, LA PIERNA QUEBRADA, Y EN CASA. Ref. que aconseja el recato y recogimiento que deben observar las mujeres. [Sin comentarios.]

LA MUJER LOCA, POR LA VISTA COMPRA LA TOCA. Ref. que reprende la ligereza e indiscreción de los que entran en negocios sin examinar sus circunstancias. [Ligereza e indiscreción son asimiladas al «otro sexo» y «afeminan» al hombre que incurre en ellas.]

LA MUJER PLACERA DICE DE TODOS, Y TODOS DE ELLA. Ref. que expresa los vicios y peligros de las mujeres que paran poco en casa. [Escoja usted una esposa muda y, si por desgracia no la encuentra, encierre a la que halle bajo siete llaves, y podrá usted dormir tranquilo, con honor y sin cuernos.]

LA MUJER PULIDA, LA CASA SUCIA Y LA PUERTA BARRIDA. Ref. que alude al descuido con que suelen mirar sus casas las mujeres muy dadas a componerse. [¡Búsquese usted una mujer sin pulir y su casa brillará como una tacita de plata!]

LA MUJER, ROGADA; Y LA OLLA, REPOSADA. Ref. que enseña cuánto realza a la mujer el recato. [Reposo, sosiego, reclusión, fragilidad, silencio. Ideal de la mujer como jarro de flores o tiesto de helechos, que adorna y calla.]

LA MUJER Y EL VIDRIO SIEMPRE ESTAN EN PELIGRO. Ref. que pondera el cuidado que la mujer ha de tener de su honestidad y recato. [El hombre, claro, no, por la sencilla razón de que el peligro *es él*.]

139

LA MUJER Y EL VINO SACAN AL HOMBRE DE TINO. Ref. que encarece la necesidad de no dejarse dominar por la liviandad ni por la embriaguez. [Mujer sinónimo de liviandad; y hombre, *a contrariis*, de cordura. La mujer no sólo está en peligro en razón de su fragilidad vítrea sino que es a su vez peligrosa tanto que puede hacernos perder el caletre. Aun recluida en el hogar, para que no se quiebre, puede resultar dañina si abre la boca y cometemos la locura de escuchar su discurso. Conclusión: tapones para los oídos, a fin de prevenir los posibles desatinos de los infelices maridos crédulos.]

LA MUJER Y LA CAMUESA, O LA CEREZA; POR SU MAL SE AFEITAN. Ref. que advierte que se hacen víctimas del apetito, la primera por los afeites y adornos de su rostro, y la segunda por los colores que indican su madurez. [Comparación entre la mujer y un fruto fungible. Para no ser «consumida» a causa de su «madurez» aquélla debe permanecer verde o niña, y pasar sin transición a la fase «incomestible» de vieja.]

LA MUJER Y LA CIBERA, O LA TELA, NO LA CATES A LA CANDELA. Ref. que enseña la precaución con que uno ha de escoger estas cosas para no quedar engañado. [En opinión de los señores académicos la mujer es una cosa a igual título que la cibera o la tela, y como a estas últimas, debemos elegirla con lupa, no sea que nos den gato por liebre o puta por virgen. Inútil decir que los varones no son escogidos, sino que escogen, y sobran por tanto las precauciones puesto que, como dice la canción, «ni se quiebran ni se rompen, ni se venden por dinero».]

LA MUJER Y LA GALLINA, HASTA LA CASA DE LA VECINA, O POR ANDAR SE PIERDEN AINA. Ref. que advierte a las mujeres los riesgos a que se exponen por no estar recogidas en casa. [Otra vez el peligro de la consumición o ruptura, del que el prudente marido la salva recluyéndola, amordazándola y dejando de mirarla, aún a la luz de la candela. Como dice nuestro sabio refranero, «de noche todos los gatos son pardos».]

LA MUJER Y LA PERA, LA QUE CALLA ES BUENA, O LA QUE NO SUENA. Ref. que alaba el silencio en las mujeres. [En los hombres, desde luego, no.]

LA MUJER Y LA SARDINA, DE ROSTROS EN LA CENIZA. Ref. que recomienda a las mujeres las ocupaciones domésticas propias de ellas. [Esto es, arrimar el rostro a la ceniza, cuando no a la letrina —variación ésta que no sólo refleja con fidelidad su *status* servil sino que ofrece asimismo la ventaja de una rima perfecta.]

MUESTRAME TU MUJER, DECIRTE HE QUE MARIDO TIEN. Ref. que da a entender que en el porte de los inferiores se conoce el gobierno del superior. [Las cosas están claras para el refranero y los señores académicos que lo glosan: el celebrado matrimonio cristiano es un contrato entre un ser superior que gobierna y una criatura inferior que obedece.]

YENDO LAS MUJERES AL HILANDERO, VAN AL MENTIDERO. Ref. que advierte que cuando se reúnen muchas mujeres, suelen hablar mucho y con ligereza. [Y los varones, poco y con gravedad, ¿no es cierto?]

Interrumpamos la lectura aquí: con lo expuesto nos basta. El sentir tradicional de nuestro pueblo —amorosa mente recogido y perpetuado por los académicos— en lo que atañe al «bello sexo» —ese mismo sexo que a despecho, o a causa de su belleza se quiere conservar siempre oculto y amordazado— resulta mucho más elocuente que los floridos discursos que oímos a menudo acerca de la caballerosidad y cortesía, o los cumplidos y requiebros que los carpetos prodigan a sus madres, hermanas, esposas, hijas y amadas. Los refranes de la tribu son el mejor testimonio de que la familia nuclear —tal como intuyera Virginia Woolf y demuestra Susan Sontag— es la célula primitiva del fascismo y su vasta panoplia de mitos, prejuicios, fantasmas. Luchar por el cambio político y económico del país, como nos proponen hoy los partidos de la oposición democrática, sin poner en tela de juicio los privilegios del sexismo sancionados por nuestras costumbres y el monopolio chovinista del lenguaje, me parece una empresa condenada al fracaso en la medida en que ello equivaldría a dejar incólume un conjunto de estructuras sociales y mentales totalmente anacrónicas, injustas e inoperantes, que frenarían y desvirtuarían a la larga la dinámica del proceso transformador. La liberación de la mujer, debe hacerse, y se hará, al margen y a contrapelo de los partidos políticos, ya que éstos, por muy revolucionarios que sean sus programas, se hallan imbuidos de criterios y actitudes sexistas, y siguen considerando a los miembros del otro sexo, en la práctica si no en la teoría, como meros militantes de segunda, alejados de los centros de decisión.[2]

No quisiera concluir estas reflexiones trazadas a vuelapluma sin una modesta proposición a nuestros académicos y escritores:

1) Abandonando por un tiempo su noble tarea de limpiar, fijar y dar esplendor al idioma, aquéllos podrían ejercer, en estos días en que la mujer cobra conciencia

2. La presencia simbólica de alguna mujer en la dirección de los partidos no invalida lo que digo, ya que, como argumenta magistralmente Susan Sontag, sirve de simple coartada y refuerza de hecho la estructura sexista del poder.

de su verdadera situación, una labor más ingrata, pero infinitamente más útil: la de purgar el diccionario de cuantos dichos y acepciones insultan la dignidad de las mujeres, como en fecha reciente, y a impulso de los nuevos vientos conciliares, lo aggiornaron y desinfectaron de las connotaciones antisemíticas más estridentes (judío como sinónimo de avaro, usurero, explotador, agiotista, etcétera).

2) Aguardando la revisión de la clasificación gramatical de los géneros, las escritoras deberían emprender desde hoy, por su parte una campaña sutil de guerrilla y desgaste, destinada a inquietar, enfurecer, minar las posiciones y sacar de sus casillas a los lectores y correctores de pruebas del campo enemigo, feminizando sistemáticamente, por ejemplo, los plurales colectivos mixtos, o escribiendo siempre Ella —como hacían mis estudiantas de New York University— al referirse a Dios.

Las respuestas de Susan Sontag al cuestionario que reproduce *Ozono* muestran en todo caso que las próximas batallas de la mujer en vistas a su liberación no pueden descuidar en modo alguno, antes bien, fijarla como objetivo primordial alcanzable, la poderosa ciudadela sexista del lenguaje.

143

DEMOS LA VUELTA DE UNA VEZ, COMO UN CALCETIN, A SU MISERABLE DISCURSO

"¿Qué opinión te merece la homosexualidad?
¿Estás de acuerdo con la creación de frentes que luchen en defensa
de los derechos de los homosexuales?

1 — Tengo que reconocer que en esto soy reaccionario. Teóricamente lo
entiendo, es decir, comprendo que se trata de un problema económico
con raíces ideológicas. Creo que, en cierta medida, se recurre a la
homosexualidad por no ser capaz de afrontar otras responsabilidades
y otras cuestiones. Por principio no me opongo a que existan homo-
sexuales [...] Si se llega a demostrar que la homosexualidad [...] es
algo que no implica ninguna deformación ideológica en el sentido de
contrarrestar tendencias de desarrollo del hombre, estoy de acuerdo
en que, aunque no hagamos una liga de defensa, no sea reprimida.
DIEGO FÁBREGAS, OICE.
2 — Es una alteración de la sexualidad. No es una forma normal de
entender las relaciones sexuales, no es un modo natural y puede verse
en un tipo de deformación educativa, psicológica o física [...] No
creo que haya que reprimir la homosexualidad de una forma policíaca
o física. Hay que buscar la fórmula de solucionar esos problemas que
son una enfermedad con origen en causas distintas y que pueden re-
querir tratamientos de diversos tipos. MANUEL GUEDÁN, ORT.
3 — En principio, diría que en la sociedad actual la homosexualidad
no viene motivada por unos defectos físicos, sino ante todo por una
degeneración en la vida. En este sentido, la homosexualidad ha de
ser condenada, pero como marxista-leninista no puedo pararme en la
condena de un hombre, sino que debo ir a las condiciones que hacen
posible la extensión de la homosexualidad [...] Yo no iría tanto a
reivindicar derechos de homosexuales como a acabar con todas las
causas que provocan la homosexualidad: razones económicas, capita-
listas, en cuanto a degeneración y a los motivos que pueden originar
también que un hombre, por defectos físicos congénitos, sea asexual,
marginado, y no se adapte para vivir perfectamente en la sociedad.
ELADIO GARCIA, PTE.

(Extracto de Los partidos marxistas. Sus dirigentes/Sus programas.
Edición a cargo de Fernando Ruiz y Joaquín Romero, Editorial Anagrama, Barcelona, 1977.)

Una de las consecuencias de la política de apertura que vive el país desde la muerte del general Franco, es la brusca toma de conciencia por parte del público de un conjunto de problemas sociales y humanos que, en razón del rígido sistema de censura que antes soportábamos, permanecían en estado de hibernación, cuidadosamente ocultos. Entre ellos, a causa de su naturaleza particularmente conflictiva, destaca el desafío que hoy plantea la emergencia de la heterosexualidad. Marginados y arrinconados por espacio de siglos, los heterosexuales —cuya particularidad erótica consiste, como su nombre indica, en una conducta sexual orientada hacia un sexo diferente— reclaman hoy, al abrigo de las normas de tolerancia de las modernas sociedades democráticas, el derecho de vivir su específica forma de sexualidad a la luz del día. Tal reivindicación está destinada a crear fuertes tensiones emocionales en el seno de una colectividad tradicionalmente homogénea como la nuestra y los primeros síntomas de rechazo —incluso entre las filas de los partidos revolucionarios— sugieren que, a diferencia de otras innovaciones en el campo de nuestras costumbres, desencadena una serie de mecanismos irracionales que potencializan aún más su índole polémica.

¿Enfermedad? ¿Degeneración? ¿Anomalía? ¿Defecto? Todas estas calificaciones resultan inapropiadas e insuficientes cuando tratamos de aplicarlas al espinosísimo *affaire* de la heterosexualidad. Frente a quienes creen ver en ello un simple producto de las estructuras de explotación precapitalistas o burguesas y, en cuanto tal, condenado a desaparecer en las futuras sociedades igualitarias, la experiencia acredita que —con insospechada tozudez, dirán algunos, sigue manifestándose y dando qué hacer en el ámbito de los países bajo un régimen de

145

dictadura del proletariado. Por otra parte, el carácter, presuntamente adquirido de la actividad heterosexual no resiste, como vamos a ver, la prueba de los hechos. Sin detenernos a considerar los frecuentes ejemplos de heterosexualidad existentes en el reino animal (los zoólogos han detectado su presencia no sólo entre los celentéreos, sino también entre búhos, delfines y calamares; en lo que toca a la *mantis religiosa* y su encarnizamiento después de la cópula con su *partenaire* del sexo opuesto, es un hecho sobradamente conocido para que tengamos que insistir en él), señalaremos con todo que, contrariamente a una idea muy generalizada, no es un fenómeno exclusivo de los países de tradición judeo-cristiana. Los jeroglíficos egipcios nos descubren su existencia desde la decimocuarta dinastía y el libro sagrado de los mayas se refiere en más de una ocasión a las relaciones carnales de miembros de aquel pueblo con individuos de sexo distinto. Lévi-Strauss ha descubierto prácticas heterosexuales entre los indios del noroeste del Brasil y el Dr. Mabuse describe en su inolvidable testamento curiosas ceremonias de iniciación heterosexual entre los indígenas de Wallis y Futuna.

Si nos atenemos al campo de nuestra civilización, los ejemplos son abundantísimos. En la Roma imperial, algunos poetas expresaban ya su insólita orientación amorosa en términos apenas velados y, según las crónicas de la época, Marco Tulio Cicerón redactó sus elocuentísimos discursos bajo el hechizo de «cierta bella persona (*gratia in vultu*) de sexo opuesto». Conocidos son los casos de Villon, lord Byron y Víctor Hugo, cuyos versos reflejan sin empacho las singulares preferencias de sus autores. Federico Nietzsche buscó igualmente satisfacciones exóticas en el otro sexo y sus detractores achacan a

146

dicha rareza su subsiguiente locura. En España, a la lista
de heterosexuales famosos que figuran en los manuales
de literatura (Lope de Vega, Espronceda, Galdós), debemos agregar otros menos conocidos, descubiertos recientemente por eruditos e investigadores: según el profesor
Caruso, de la Universidad de Chattanooga, Garcilaso e
incluso el genial Cervantes (tengamos el valor de reco-
nocerlo, aunque moleste a algunos) no fueron totalmente
ajenos a esta extendida forma de anormalidad.

Las frecuentes tentativas de trazar un retrato-robot
del heterosexual o de situarlo en determinados medios
sociales han fracasado siempre. Exceptuando algunos
casos patológicos, el heterosexual es un individuo de
apariencia normal, que no se distingue a primera vista
de los demás individuos de su sexo. Encontramos heterosexuales en el mundo de los negocios (Henry Ford), de la
política (Clemenceau), incluso en el ejército (Rommel). Se
les suele atribuir determinadas inclinaciones literarias,
artísticas, deportivas (los casos conocidos de Pelé y Mar-
cel Cerdán); pero las últimas encuestas científicas revelan
sin lugar a dudas que su gama profesional es exactamente
la misma que la del resto de sus conciudadanos. En contra de lo que muchos suponen, la heterosexualidad no es
patrimonio exclusivo de la aristocracia y clases medias;
las fábricas son al parecer excelente caldo de cultivo de
la misma y hasta las zonas campesinas, tradicionalmente
impermeables a toda novedad, parecen afectadas por el
fenómeno.

La emergencia de la heterosexualidad en una sociedad
democrática plantea, como es lógico, numerosos problemas. Frente a los nostálgicos de la acción policíaca directa —los países socialistas han intentado erradicarla
sin éxito mediante el envío de los interesados a granjas

147

colectivas, campos de reeducación y asilos siquiátricos—, se impone cada vez más el criterio de una política comprensiva, que intenta su integración paulatina en la comunidad. No obstante, dicha política no ha dado siempre buenos resultados y razones de elemental prudencia aconsejan que se les mantenga al margen de determinados puestos de responsabilidad (en la medida en que suelen ser presa fácil del chantaje) y de aquellos campos en donde su influencia pudiera resultar nociva (en especial de cara a los jóvenes). Una sociedad profundamente liberal y tolerante como la británica cometió la imprudencia de permitir el acceso a la más alta responsabilidad estatal de un heterosexual notorio, Eduardo VIII, cuyos amores con Mrs. Simpson, la futura duquesa de Windsor, pusieron en grave peligro la institución monárquica y le obligaron más tarde a abdicar. El ejemplo de lo ocurrido con el presidente de la Asamblea Nacional francesa André Le Trocqueur y sus *ballets roses* está igualmente en la memoria de todos.

Sin incurrir en los excesos bien intencionados, pero contraproducentes de Stalin y Fidel Castro, la sociedad democrática debe tratarlos con comprensión y simpatía, procurando poner fin a las causas que originan su segregación y aislamiento. Así, el sector más progresista del clero practica con ellos una política de brazos abiertos, que rebaja las tensiones y hasta permite el retorno al redil de algunos extraviados (verdad es que varios sacerdotes se han pasado de rosca, como el desdichado García Salve). Los marxistas a su vez comienzan a evolucionar (algunos evocan incluso episodios oscuros de la vida de Engels) y admiten la idea de su supervivencia en el paraíso futuro (a pesar de las contradicciones ideológicas que ello implica).

En resumen: que debemos ser humanos y comprensivos, porque la heterosexualidad se produce en todos los grupos y familias, y nada nos garantiza que un día no tengamos que enfrentarnos con ella en nuestra propia casa. Cuidada en sus comienzos puede ser corregida (los médicos aconsejan el envío de los niños y niñas con inclinaciones heterosexuales a internados y colegios de vacaciones de su propio sexo); más tarde, lo mejor es renunciar a toda esperanza de cura y aceptarla como algo triste, pero inevitable (al mismo título que aceptamos el dolor, la vejez o la muerte). De ello a crear agrupaciones destinadas a defender sus «derechos» media una distancia que sólo los irresponsables estarían dispuestos a salvar. Pero, además de que su ejemplo podría cundir entre las personas emotivamente débiles e inestables, no hay que olvidar la amenaza latente que algunos de sus miembros (por fortuna no todos) representan para la sociedad: o ¿es que olvidaremos que Trujillo fue, como es hoy día Pinochet, un empedernido heterosexual?

MODESTA PROPOSICION A LOS PRINCIPES
DE NUESTRA BELLA SOCIEDAD DE CONSUMO

El súbito apagón que el pasado 13 de julio sumió en la oscuridad a más de diez millones de neoyorquinos fue descrito por los *mass-media* del mundo entero en términos dramáticos y casi apocalípticos: noche de terror, angustia, incendios, robos, agresiones, pillaje. Los reportajes periodísticos y editoriales de los diarios y publicaciones de gran tiraje presentaban cuadros de pesadilla a lo Hitchcock, imágenes de un *thriller* futurista, episodios de un folletín televisado de ciencia ficción. Que el pánico, violencia y desesperación de los propietarios saqueados fueron reales nadie puede ponerlo en duda; que por espacio de unas horas desapareció, cuando menos en las zonas más pobres y abandonadas del área metropolitana, toda noción de «civismo» y se impuso la ley del más fuerte es igualmente cierto. Pero dicha forma de pintar lo sucedido en una ciudad que, para bien y para mal, marca la pauta a las restantes capitales del mundo —basta observar, en efecto, su problemática insoluble y brutal para diagnosticar la que asediará tarde o temprano a las grandes urbes del llamado mundo democrático—, omite un factor importante, significativo y original del acontecimiento: la atmósfera comunitaria de expansión, regocijo y verbena con que los grupos marginados y clases sociales oprimidas vivieron la fiesta.

Quienes tuvimos ocasión de atisbar en televisión —a veces en directo— escenas de lo ocurrido en Harlem, el Bronx, Jamaica, Williamsburg, Crown Heights y Bedford-Stuyvesand descubrimos con asombro que millares y millares de negros y portorriqueños —las diferencias sociales se manifiestan claramente en los USA como en Europa en el color de la piel y cabello— disfrutaban de un imprevisto carnaval veraniego en el que los vínculos familiares y raciales —el espíritu de barrio— desempeñaban un papel esencial. Grupos de jóvenes y adultos embestían y destrozaban los escaparates con tablones, adoquines, piquetas, martillos y depósitos de basura de municipio, animándose unos a otros con cantos ritmados y gritos alegres: *Let's do it, let's do it!* Una vez rota la vitrina, forzada la puerta o separadas las barras de la reja de defensa, la multitud irrumpía por los boquetes, iluminándose con linternas de bolsillo y protegiéndose a menudo los brazos de los vidrios destrozados mediante toallas o trapos, para reaparecer minutos más tarde con objetos y utensilios de toda clase, desde los más comunes y sencillos a los más sofisticados y extravagantes. Joyerías, colmados, tiendas de tejidos y electrodomésticos recibían la visita de «clientes» apresurados y ávidos que arramblaban con todas sus existencias sin necesidad de factura. Los almacenes de muebles eran especialmente favorecidos por un público numeroso que atraído, diríase, por un irresistible huracán publicitario, vaciaba las gangas y productos rebajados en un *shopping spree* de proporciones nunca vistas: familias enteras cargaban

151

con mesas, sillones, sofás, cómodas, tresillos, radios, televisores, espejos, en un incesante ir y venir entre domicilios y almacenes; dos muchachos de apenas quince años empujaban por la acera un refrigerador gigante; una pareja acarreaba un lecho doble o triple con todos sus aditamentos: campo de pluma, sin duda, de sus futuras, porfiadas batallas de amor. Los supermercados conocían igualmente una actividad inaudita: parroquianos entusiasmados atestaban las bolsas de papel y plástico de comestibles, latas, botellas; otros salían directamente a la calle con sus carritos colmados de vituallas y declaraban riendo a los entrevistadores —como una mujer de edad mediana que ocultaba su identidad tras un turbante y unas enormes gafas ahumadas— «da gusto poder ir de compras sin necesidad del jodido dinero». Grupos de niños escogían risueños juguetes y regalos, anticipándose a la visita, para ellos escasamente pródiga, de Papá Noel o los Reyes Magos; adolescentes de ambos sexos se equipaban de camisas, zapatos, tejanos e incluso chaquetas y abrigos en previsión de las inclemencias del próximo invierno. En el Bronx, los vecinos destrozaron los escaparates de un almacén de exhibición de automóviles y partieron con cincuenta Fords, Pontiacs, Oldsmobils del último modelo, ya para pasearse unas horas con sus novias, parientes o amigos, ya para transportar más fácilmente en ellos los artículos adquiridos en la grandiosa e inesperada rebaja. En pocas palabras: la jerarquización rigurosa desaparecía, la marginación se eclipsaba momentáneamente, el individuo volvía a sentirse un ser humano entre sus semejantes.

La ciudad dejó de ser así durante unas horas esa implacable jungla de asfalto donde el hombre se pudre, agoniza y muere solitario en su propio ghetto para transformarse en una colectividad festiva, fundada en la fraternidad cómplice de los participantes en aquel súbito y gracioso festín : miembros de una informulada, pero real asociación de clientes frustrados, injustamente privados hasta la fecha del derecho de satisfacer el voraz apetito consumista estimulado por todos los resortes publicitarios de un sistema incapaz, en razón de sus escandalosas desigualdades sociales, de procurarle adecuada salida. Como confiaba un agente de policía al *New York Times*, refiriéndose a quienes andaban de parrandeo : «No podían comprender por qué los deteníamos. Se ponían furiosos con nosotros y decían: estoy sin empleo y tomo lo que necesito. Por qué diablos viene usted a fastidiarme?». Un muchacho de dieciocho años, con un par de pantalones «recuperados» de algún almacén de tejidos, explicaba asimismo al corresponsal de dicho periódico que los juerguistas se sentían plenamente justificados a causa de la extensión del paro y la situación deprimida de la economía : «Serían realmente estúpidos si, no teniendo trabajo, no hicieran lo que están haciendo».

Lo ocurrido durante casi veinte horas a consecuencia del apagón constituye en mi opinión un índice revelador de las tensiones prácticamente insolubles de nuestras sociedades industriales consumistas —un incidente cuyos efectos no se limitan, como ingenuamente pudiera creerse, a la específica «monstruosidad» neoyorquina ni siquiera norteamericana : afecta también a la situación sin salida en que progresivamente se encierran las grandes ciudades (París, Roma, Londres, Madrid, Barcelona, etc.) del continente europeo, en cuyo seno se hacinan día tras día nuevas familias proletarias y grupos marginales víctimas del fetichismo industrial y la explotación despiadada de la burguesía— obreros y *lumpens* imposibilita-

153

dos de vender incluso, a causa de la recesión, su mísera fuerza de trabajo y presa inerme no obstante de unos sueños consumistas azuzados día y noche hasta la demencia: estímulos que, a fuerza de repetirse, crean reflejos físicos tan eficaces e inmediatos como los que descubriera Pavlov.

Ante un dilema de tal magnitud, limitarse, como proponía el alcalde de Nueva York, a una política de orden público destinada a reforzar los efectivos policiales e incrementar la vigilancia sería tan inútil como pretender sanar una infección mortal con remedios caseros y cataplasmas. El peligro que amenaza al sacrosanto derecho de propiedad y la economía de libre empresa es mucho más profundo y grave y hora es ya, si queremos salvarlos, de tomar, como se dice, el toro por los cuernos. Teniendo en cuenta la triste, pero probada incapacidad del sistema de renovarse, evitar los ciclos de depresión y corregir las desigualdades abruptas, no veo sino una solución que modestamente sugiero y elevo a la atención de las autoridades civiles, administrativas y municipales de nuestros países de maltrecha sociedad de consumo: extender e institucionalizar los apagones, imponiéndolos, a razón de uno o dos por año, a todas las ciudades de más de medio millón de habitantes. La fecha, como es obvio, debería mantenerse secreta, conforme a un sistema de sorteo en el que un niño, por ejemplo, escogiera un número con los ojos vendados, número confiado a continuación a los cuidados de una computadora que, llegado el momento —la hora H simbolizada por la cifra—, entraría en funciones y provocaría el colapso de todo el suministro eléctrico del área metropolitana preservando así —eso es fundamental— el factor sorpresa. Los ciudadanos pobres y clases desfavorecidas sabrían entonces que se «levantaba la veda» y disponían de unas pocas horas para procurarse cuantos artículos y bienes de consumo requerían sin necesidad de dinero, siempre y cuando lograran forzar los naturales mecanismos de defensa de los poseedores y la persecución de la policía. Esta, a su vez, aunque desbordada por los acontecimientos, se esforzaría en cumplir con su deber, intentando socorrer a los dueños de los almacenes visitados y detener a algunos merodeadores nocturnos. Posibles reglas del juego : prohibición rigurosa del empleo de armas e incluso de toda forma de agresión física por parte de los juerguistas; benignidad y comprensión de las fuerzas del orden; establecimiento de un seguro contra apagones en favor de los comerciantes. Ventajas del mismo : relajar tensiones sociales que podrían desembocar de otro modo en una explosión revolucionaria súbita e incontenible; compensar la injusta distribución de los bienes con una verbena gratuita, abierta a todas las clases; permitir la integración indirecta de los necesitados en el sistema, poniéndoles la miel en los labios y satisfaciendo momentáneamente su apetito consumista. Otras ventajas suplementarias: introducir un elemento de emoción en el prosaísmo de nuestra vida diaria; avivar el espíritu de iniciativa e invención indispensables a una economía de libre concurrencia; reforzar la vigencia del modelo entre los numerosos partícipes de la arrebatiña; suministrar pan y juegos circenses a unas masas urbanas tradicionalmente privadas de ellos. Sin contar con el maná de infinidad de sorpresas accesorias : promiscuidad alegre, propicia en parques, oficinas, vagones de metro; posibilidad de yacer, sin peligro, en el lecho de la vecina o vecino; goce indiscriminado de meter mano por el simple placer de meterla. Si los gobiernos y municipalidades de nuestro universo democrático no comprendieran el carácter positivo del remedio propuesto cometerían sin duda un gravísimo error: la preservación de nuestros intangibles principios consumistas e industriales depende de ello. Lo contrario sería, mucho me temo, un verdadero «apaga y vámonos» infinitamente más peligroso que el apagón.

INDICE

COLECCION IBERICA